D0636703

De vader van een moordenaar

Alfred Andersch

De vader van een moordenaar

Een schoolverhaal

Vertaald door
Marcel Misset

Met nawoorden van
de auteur en de uitgever

Cossee
Amsterdam

Een weinig begaafde gymnasiast
draagt deze vertelling op aan
een hoogbegaafde,
die een van de grootste meesters van
de Duitse taal
en de poëzie werd:
zijn leeftijdgenoot
en dierbare vriend

Arno Schmidt
In memoriam

Hij sprak, hoorde ik, zijn laatste woorden
Nu zal hij het niet langer meer doen
Nooit meer zal hij ons vermoorden
Maar daar wringt, vrees ik, de schoen
Want hij sprak weliswaar zijn laatste woorden
Maar anderen, weet ik, blijven 't doen.

– Bertold Brecht, *Op de dood van een misdadiger*

Het lijkt tot bijna niemand door te dringen dat de zonden die dagelijks aan onze kinderen worden bedreven de kern van ons schoolsysteem uitmaken. (...) Het zal zich ooit nog eens wreken dat de staten van hun scholen inrichtingen hebben gemaakt waarin de zielen van de kinderen systematisch worden vermoord.

– Fritz Mauthner, *Woordenboek van de filosofie*

Het lesuur Grieks kon ieder moment beginnen toen de deur van het klaslokaal nog een keer openging. Franz Kien schonk er weinig aandacht aan, pas toen hij zag dat *Studienrat** Kandlbinder, zijn leraar, geïrriteerd, ja zelfs geschrokken opstond, zich omdraaide naar de deur en de twee treden die naar zijn lessenaar leidden af stapte – wat hij nooit zou hebben gedaan als degene die binnenkwam slechts een verlate leerling was – keek ook hij nieuwsgierig naar de deur, die zich voorin rechts bevond, naast het podium waarop het schoolbord stond. Hij zag meteen dat het de rector was die de klas binnenkwam. Hij droeg een dun, lichtgrijs pak, het jasje hing open, daaronder omspande een wit overhemd zijn buik. Licht en lijvig stak hij eventjes af tegen het grijs van de gang, toen ging de deur achter hem dicht; iemand die hem begeleid had, maar zelf

* Zie p. 123 voor een verklarende woordenlijst.

9

onzichtbaar was gebleven, had de deur kennelijk opengehouden en daarna weer achter hem gesloten; hij draaide als een automaat die een poppetje tevoorschijn laat springen, zoals de marionetten op de raadhuistoren op de Marienplatz verschijnen, dacht Franz Kien. De verbijsterde Kandlbinder – hij trok nog steeds een gezicht alsof hij in zichzelf 'God sta me bij!' mompelde – riep een seconde te laat 'Opstaan!', maar de leerlingen waren al gaan staan, zonder zijn bevel af te wachten, en gingen ook niet zitten toen hun leraar een – opnieuw, nu nog slechts een fractie van een seconde vertraagd – 'Zitten!' uitbracht, maar deden dat al toen de rector met een afwerend gebaar zijn handen hief en tegen de jonge leraar zei: 'Laat ze toch gaan zitten!' Ze wrongen zich moeizaam achter de dubbele lessenaars, die stevig aan de dubbele bankjes waren vastgeschroefd, want de meesten van hen waren op hun veertiende al flink uitgegroeid, en zagen Kandlbinders verwarring, en hoe de rector handig voorkwam dat hij voor hem zou buigen door zijn hand naar hem uit te steken. Hoewel Kandlbinder een halve kop groter was dan de ook bepaald niet kleine rector – Franz Kien schatte zijn lengte op een meter zeventig – zagen ze allemaal ineens dat hun docent, zoals hij daar naast de van gezondheid blakende, corpulente rector stond, niets meer was dan een mager, bleek en onbeduidend mannetje, en begrepen ze plotseling waarom ze niets meer van hem wisten dan hij van hen, en dat hij altijd lesgaf met een stem die zelden daalde of rees, dat zijn lessen vast tiptop in orde waren, maar dat ze, vooral tegen het eind van het lesuur, altijd in slaap dreigden te sukkelen. Mijn hemel, wat is die man een dooie diender, dacht Franz soms. Terwijl hij nog zo jong is! Hij heeft een kleurloos gezicht, zijn zwarte haar is meestal nogal slordig gekamd. Franz en zijn medeleerlingen hadden na Pasen, aan het begin van het nieuwe schooljaar, toen hij hun klas overnam, een tijdlang in spanning afgewacht of Kandlbinder, hun nieuwe leraar in de derde, een favoriete leerling zou kiezen, of een die hij overduidelijk niet mocht, maar inmiddels waren bijna twee maanden verstreken waarin de leraar dat alles zorgvuldig had vermeden. Alleen bij de aanvaring met Konrad Greiff is hij uit zijn slof geschoten, dacht Franz. Als in de pauze of op weg naar school Kandlbinders omzichtigheid ter sprake kwam, wat maar zelden gebeurde omdat de leraar ze nauwelijks interesseerde, was er altijd wel iemand die schouderophalend opmerkte: 'Die probeert zich gewoon overal buiten te houden.'

De rector draaide zich om en keek de klas in. Hij droeg een bril met een dun, gouden montuur, waarachter zijn blauwe ogen opmerkzaam heen en weer flitsten. Door dat goud en dat blauw kreeg zijn rode gezicht onder de gladde, witte haren iets fonkelends, iets vriendelijks en goedmoedigs zelfs, maar Franz kreeg meteen de indruk dat de rector, al kon hij zich als een en al welwillendheid presenteren, niet ongevaarlijk was; je moest die vriendelijkheid beslist niet zomaar vertrouwen, zelfs niet als hij, zoals nu, lijvig en joviaal langs de drie rijen dubbele lessenaars keek.

'Zo, zo,' zei hij, 'dus dit is mijn onderbouw 3B! Goed jullie te zien.'

Hij is echt een Rex, dacht Franz, niet gewoon een rector wiens titel op het Wittelsbacher Gymnasium tot die bijnaam was afgekort, want ook op andere gymnasia in München werden de rectoren 'Rex' genoemd – maar Franz kon zich niet voorstellen dat de meesten van hen er ook werkelijk als vorsten uitzagen. Die daar wel. Lichtgrijs en wit – over het witte hemd hing een onberispelijk geknoopte, glanzend blauwe das – met dat op de hoeken afgeronde blauw-gouden vizier op zijn gezicht, stond hij voor het grote schoolbord. Noch Kandlbinder, noch de leerlingen leken aanstoot te nemen aan het feit dat hij zich met een bezittelijk voornaamwoord tot de klas richtte. Ben ik de enige, dacht Franz, wie het opvalt dat hij ons aanspreekt alsof wij zijn persoonlijke eigendom zijn? Hij nam zich voor om na de les aan Hugo Aletter te vragen of hij het eigenlijk ook niet aanmatigend vond dat de Rex, alleen maar omdat hij rector van de school was, meende het recht te hebben hun klas als de zijne te bestempelen. Hugo Aletter, die naast hem in het bankje zat, was niet zijn beste vriend in de klas – Franz had helemaal geen vertrouwelingen in de klas – maar hij was een van de weinigen aan wie hij een dergelijke vraag kon stellen. Met Hugo kon hij zelfs over politiek praten, dat deden ze soms tijdens de pauzes, ergens in een hoekje van het schoolplein, in termen die ze oppikten uit de betogen van hun vaders, allebei Duits-nationaal gezind. Daarom – niet uit vriendschap – waren ze in de klas naast elkaar gaan zitten. Ook de anderen kregen thuis de politieke gesprekken te horen die kenmerkend waren voor de middenstand in München, maar die luisterden er niet naar; die kinderen, zoals Franz en Hugo ze daarom minachtend noemden, interesseerden zich niet voor politiek. Maar zelfs Hugo, dacht Franz, zou waarschijnlijk niet begrijpen waarom het me niet bevalt dat de Rex ons aanspreekt met 'mijn onderbouw 3B', ik weet het zelfs niet eens, en het is ook geen politieke kwestie. Plotseling schoot hem te binnen dat zijn vader, die in de laatste oorlog officier was, al was het maar reserveofficier, het ook altijd over 'zijn mannen' had als hij herinneringen aan het front ophaalde, en nog nooit is de gedachte bij me opgekomen, dacht Franz, dat in dat geval dat bezittelijk voornaamwoord niet vanzelfsprekend is, net als wanneer ik aan mijn vader denk als 'mijn vader'.

'Grieks!' zei de Rex. 'Hopelijk hebben jullie er niet zoveel moeite mee als 3A!' zei hij hoofdschuddend. 'Die hebben er een rommeltje van gemaakt! Ts, ts, ts!'

Hij gaf daarmee te kennen dat hij de parallelklas al had geïnspecteerd. Dat moest net gebeurd zijn – het was elf uur – want als hij een dag eerder of deze ochtend voor de pauze in klas A was verschenen, hadden de leerlingen van klas B het wel gehoord van hun vrienden uit A, ongetwijfeld op waarschuwende toon: 'Bereid je maar voor op de Rex!' Het was wel duidelijk dat het de bedoeling van de rector was de klassen te overrompelen, kennelijk had hij zijn voornemen ook niet met andere leraren gedeeld, want zelfs Kandlbinder wist niets van zijn bezoek aan hun klas, anders had hij niet zo ontzet gereageerd op de entree van de Rex.

Die was erin geslaagd, vooral door dat sissen na zijn laatste mededeling, bij zijn toehoorders de indruk te wekken dat hij hen serieus genoeg nam om met hen zijn zorgen over de bedroevende prestaties van de parallelklas te delen. Hij was bezorgd, en hij deelde zijn gevoelens met hen; de B-klas was het vanzelfsprekend met hem eens dat het ongehoord, ja zelfs onbegrijpelijk was om bij Grieks in gebreke te blijven, het ging weliswaar niet om een ziekte – een zware, maar nog te genezen ziekte – maar om een onbegrijpelijk gebrek, dat een geërgerd, ongeduldig 'Ts, ts, ts' opriep, alsof daarmee alles wel was gezegd, althans, die indruk maakte het op Franz, zonder dat hij uit die – overigens nogal vage – indruk de conclusie trok dat de Rex misschien gewoon geen goede onderwijzer was. Integendeel – ook hij viel voor het Ts-ts-ts-trucje van de Rex, voelde zich door de vertrouwelijkheid die hij daarmee leek te demonstreren gevleid, en nam zich voor wat beter zijn best te gaan doen met Grieks dan hij tot dan toe had gedaan.

Hij nam niet de moeite vast te stellen hoe Kandlbinder reageerde op de twee voorgaande zinnen waarmee de Rex aangaf dat hij klas A inmiddels had gewogen en te licht bevonden. Vatte hij ze op als een dreigement, een waarschuwing voor wat hem te wachten stond als zijn klas de toets van de Rex evenmin doorstond, of zag hij juist mogelijkheden, hield hij het voor onmogelijk dat er met zijn omslachtige maar uitstekende lessen, met onmiskenbaar voortreffelijke resultaten, toch iets mis kon gaan? Franz besteedde er verder geen aandacht aan. Die saaie frik, door wiens Griekse lessen hij zich tot op heden succesvol heen had gezwijnd, interesseerde hem eenvoudigweg niet genoeg om hem in de gaten te houden ten koste van de rector die, in tegenstelling tot zijn leraar, spanning, zij het ook gevaarlijke spanning teweegbracht.

'Laat u niet storen, *Herr Doktor!* Gaat u verder!'

Verdergaan is een goeie, dacht Franz verontwaardigd, hij is letterlijk in de eerste minuut van de les komen binnenvallen, dan is het toch ronduit oneerlijk om te doen alsof Kandlbinder al had kunnen beginnen? Aan de andere kant vijzelde hij tegenover de leerlingen het aanzien van de leraar op door hen erop te wijzen dat hij de doctorstitel droeg. Dat was nieuw voor de klas. *Herr Doktor.* Het leek niets bijzonders op een school waar de leerlingen verplicht werden al hun leraren, van de jongste stagiair tot de grijzende rector, met *Herr Professor* aan te spreken, maar het onderscheidde de leraar toch, want zoveel wisten ze inmiddels wel van academische rangen en standen, dat een leraar die zijn doctoraat had 'geregeld' – zoals ze op hun veertiende al hadden geleerd zich uit te drukken, onderwijl hun ingewijde broers of vaders na-apend – meer voorstelde dan een docent die leraar, die weliswaar ook als Herr Professor moest worden aangesproken, maar geen proefschrift had geschreven en niet 'gepromoveerd' was.

'Zoals u wenst, Herr Direktor,' zei Kandlbinder en hij wendde zich tot Werner Schröter. 'Schröter,' zei hij, 'kom eens naar voren!'

Dus zo spreken ze elkaar onderling aan, dacht Franz. Herr Doktor, Herr Direktor. Ons tutoyeren ze. Pas vanaf de vierde worden we met u aangesproken. Als ik in de derde blijf zitten – en waarschijnlijk blijf ik zitten met een vijf voor Grieks en voor wiskunde, met twee vijven voor hoofdvakken blijf je nu eenmaal zitten – dan word ik nog een jaar getutoyeerd. Nou ja, voor mijn part. Kan mij het schelen. Er zijn belangrijkere dingen. Wat voor hem belangrijker was, zou Franz Kien zelf niet weten.

'Schröter,' zei Kandlbinder, 'we zijn bij de klankleer. Schrijf voor mij eens de combinaties van medeklinkers op het bord!'

Kandlbinder is gek geworden, dacht Franz. Hij is er nog niet van hersteld, hij is er compleet van in de war geraakt dat de Rex de klas komt inspecteren. Het is toch pure waanzin de allerbeste meteen voor het bord te roepen in plaats van hem achter de hand te houden voor het geval er iets misgaat? Of om hem later op te voeren als shownummer. En dan geeft hij hem ook nog zo'n kinderlijk eenvoudige opdracht! Zelfs ik zou de drie dubbele medeklinkers kunnen opschrijven. Hebben we trouwens allang gehad. We zijn toch al bij de klinkerveranderingen in de zin, en met grammatica nog verder, bij de woordbouw. Kandlbinder ging kriskras door de grammatica. Franz grinnikte stilletjes voor zich uit. Als zijn leraar wist dat hij nauwelijks meer had onthouden dan de titels van de behandelde hoofdstukken! Bij zijn huiswerk werd hij geholpen door zijn oudere broer, die op het Wittelsbacher Gymnasium tot de vijfde klas was doorgedrongen, op een manier die Franz niet begreep, want zijn broer Karl was in de hoofdvakken, vooral in de vreemde talen, even zwak als hijzelf. Hoe was het hem gelukt de vijfde klas te halen? Met die grappige werklust van hem, vermoedde Franz, hij strooit de leraren zand in de ogen met dat kleine, keurige, regelmatige handschrift van hem, waarmee hij vel na vel vult. Zijn huiswerk zit vol fouten, net als dat van mij, maar het ziet eruit om door een ringetje te halen, ik heb daar geen zin in, zou het ook helemaal niet kunnen. Franz was een knoeier, zijn handschrift was nerveus en krasserig, de leraren schudden hun hoofd als ze zijn huiswerk bekeken, professor Burckhardt, de biologieleraar die hem mocht, hoewel Franz in zijn vak ook niet goed was, zei zo nu en dan: 'Kien, probeer toch eens wat vorm in je handschrift te brengen!' Juist hij, dacht Franz dan altijd, want het kostte Burckhardt zelf de grootste moeite om de doorsnede van een bloem – een pinksterbloem bijvoorbeeld – op het bord te tekenen. Altijd weer brak zijn krijtje af, gooide hij het weg en riep dan vertwijfeld: 'Kijk het maar na in Schmeil, daar staat het in!'

Toen Schröter naar voren was gelopen, was de Rex aan de leraarstafel gaan zitten en iedereen kon zien hoe hij de Griekse grammatica die daar opengeslagen op tafel lag optilde en zich erin verdiepte. Of deed hij maar alsof hij zich over de leerstof boog die ze doornamen? Hij leek zich in elk geval even weinig te interesseren voor de gymnasiast bij het schoolbord als die voor hem. Typisch Schröter, dacht Franz terwijl hij keek hoe de ster van de klas eerst doodgemoedereerd een stuk van het bord schoonmaakte, want het was voor hem natuurlijk uitgesloten dat hij een bord zou gebruiken dat door de jongens die bordendienst hadden gehad alleen met een droge spons of een lapje was schoongeveegd, zodat het oppervlak niet, zoals het hoorde, op matte schoensmeer leek, maar met een grauwsluier was bedekt. Dus liep Schröter, zonder zich iets aan te trekken van de aanwezigheid van de vorst van de school – de grootvizier, dacht Franz, maar Schröter kon het zich natuurlijk veroorloven – rustig naar de kraan naast het bord, liet water over de spons lopen, kneep hem half uit en veranderde daarna de linker bovenhelft van het bord in een glanzend zwart vlak, droogde hem met de doek alvorens er de ξ, de ψ en de ζ op te schrijven, waarbij hij de medeklinkers achter elkaar, alsof hij in zichzelf praatte, zonder dat Kandlbinder hem erom vroeg, hardop noemde: 'Xi, psi, dzi.'

In tegenstelling tot de Rex, die nog steeds verdiept was in de Griekse grammatica, had Kandlbinder, zo pijnlijk in verlegenheid gebracht en steeds weer kijkend naar het lerarenpodium waarop de rector troonde, gewacht tot Schröter klaar was. Nu was hij eindelijk aan de beurt. 'Die i uitspreken,' zei hij, 'is weliswaar gebruikelijk, maar eigenlijk is het fout. Het gaat hier om zuivere dubbele medeklinkers. Dus: x, ps, ds.' Hij articuleerde de keel-, mond- en plofklanken zo voortreffelijk, vooral de labiale beginklank van de psi lukte zo goed, dat Franz zich voornam hem na de les tegenover zijn medeleerlingen 'Kandl-p-inder' te noemen. Hij kon niet vermoeden dat hij na dit uur niet meer in de stemming zou zijn voor wat voor grappen dan ook.

'Ná, ná, Herr Doktor,' zei de Rex, terwijl hij opkeek uit het boek van de leraar, waarmee hij met slechts twee nasale, donkere ademstoten zijn eerder zo grootmoedig verklaarde toestemming herriep dat Kandlbinder zich niet door zijn aanwezigheid moest laten storen, 'zo precies weten we niet hoe de oude Grieken hun Grieks uitspraken. Het zijn maar theorieën. Byzantijnse veronderstellingen, waarschijnlijk allemaal onjuist...' Hij maakte een wegwerpgebaar.

De leerlingen van de derde keken toe hoe Kandlbinder aanstalten maakte de Rex tegen te spreken. Als iemand iets weet over de uitspraak van het Oudgrieks is hij het wel, dacht Franz. Hij herinnerde zich de breedsprakige voordrachten die zijn leraar had gehouden over een paar door hem als humanisten aangeduide personen, maar Kandlbinder liet na zijn kennis voor de Rex te etaleren. De lafbek, dacht Franz. Het enige wat Kandlbinder zei was, zacht, aarzelend: 'Maar de dubbele medeklinkers...'

'Zijn waarschijnlijk fonetisch te verklaren,' maakte de Rex zijn zin af. 'Ik geef het toe.' Hij liet een stilte vallen alvorens de achterhaalde leerstof en het voor een uitblinker veel te makkelijke onderwerp van die dubbele medeklinkers van tafel te vegen. 'De klas heeft de klankleer allang gedaan,' zei hij. 'Het zou ook niet best zijn als uw leerlingen zes weken na Pasen nog steeds met het alfabet bezig waren, niet waar, Herr Doktor. – Bij alfa en omega!' Hij lachte, kort, droog, zonder dat er ook maar iets in zijn gezicht veranderde. 'U bent allang bij de uitspraak, de klinkers en de accenten.' Weer lachte hij uitdrukkingsloos. 'Atona en enclise! Heel goed, heel goed! U bent zelfs al met de zinsbouw begonnen, Herr Doktor, met de infinitief, zie ik. U bent flink opgeschoten. Mijn complimenten!'

Pijnlijk voor die saaie, dacht Franz, zoals de Rex dwars door hem heen kijkt en hem zonder omhaal vertelt waar hij met ons met Grieks is. Hoewel hij lovende woorden sprak, klonken ze anders, als het eerste gerommel in de verte van een naderende onweersbui. Die indruk maakte het op Franz. Er bestond geen twijfel meer over dat de Rex de les had overgenomen, Kandlbinder zou verder alleen nog maar langs de kant staan, zoals hij al bij Schröter naast het bord stond.

Die keerde zich van het bord af en draaide zich om in de richting van de Rex, beleefd de moeilijke vragen afwachtend die ongetwijfeld zouden volgen. Werner is een prima kerel, dacht Franz, geen streber, maar gewoon iemand die alles kan, en die er niets aan kan doen dat hij alles kan. Franz Kien kende Werner Schröter beter dan de meeste anderen, want hij en Schröter hadden als enigen uit de klas vioolles, een keuzevak dat door het gymnasium werd aangeboden; twee middagen in de week troffen ze elkaar met een paar leerlingen uit andere klassen in het muzieklokaal van de school. Ze waren inmiddels gevorderd tot de derde positie, Werner bracht een vollere klank voort dan Franz, misschien heeft hij een betere viool dan ik, dacht Franz, maar als hij zag hoe behendig en geconcentreerd Werner de viool tussen zijn schouder en zijn kin klemde, begreep hij dat het nooit alleen aan het instrument kon liggen dat een bepaalde reeks noten die ze aan het oefenen waren bij Werner niet zo krasserig klonk als bij de meeste anderen. Schröter was niet groot en niet klein, niet gezet, maar stevig gebouwd. Ook zijn gezicht had iets stevigs, zijn gladde zwarte haar bedekte de bovenste helft van zijn schedel, zijn wenkbrauwen waren dik en zwart, de aanzet van zijn neus was breed, maar de neus zelf was dat nergens, die tekende zich scherp af onder de donkerblauwe ogen en boven de vastberaden, rechte mond, waarmee hij maar weinig zei. Hoe zwijgzaam hij ook was, hij was altijd bereid aanwijzingen te geven; als hij zag dat Franz bij het spelen iets niet voor elkaar kreeg, kwam hij zonder dat die het hem hoefde te vragen bij hem staan en corrigeerde hij de door zijn medeleerling steeds maar weer vals gespeelde toon door zonder iets te zeggen en zonder ook maar een spoor van arrogantie zijn vinger op de juiste plek van de snaar te drukken, zodat de goede toon oprees uit de klankkast van de viool. Ook had hij een keer met zijn stevige, gebruinde handen de kam van Franz' viool verschoven, een fractie van een millimeter maar – zodat hij daarna een tijdje beter klonk dan daarvoor. Ach, de muziek had Franz teleurgesteld. Het oefenen van de eerste positie had hem niets van het genot gebracht waarop hij had gehoopt. Hij had niet gedacht dat een viool zonder begeleiding zo droog zou klinken, naar helemaal niets eigenlijk. Had ik maar piano kunnen doen, net als Karl, dacht hij, maar in de afgelopen jaren – 1927, 1928 – had zijn vader al niet genoeg geld meer om een pianoleraar te kunnen betalen. Karl heeft de goede tijd nog meegemaakt, dacht Franz vaak jaloers, voor mij was er nog net voldoende voor deze vioollessen, wat heet voldoende, ze kostten niets, de school vroeg er geen stuiver voor en de viool heb ik gekregen van de Poschenrieders, die hadden er een op zolder liggen. Mijn hemel, wat hadden die er een scène van gemaakt toen ze ermee aan kwamen zetten, ze deden alsof de viool een relikwie was, alleen maar omdat hun overleden zoon erop had gespeeld.

De Rex leidde zijn aandacht af van zijn herinneringen aan het met zijn ouders bevriende echtpaar Poschenrieder, dat in een donker, voornaam appartement in de Sophienstrasse woonde en soms op zondagmiddagen moest worden bezocht, ook als het mooi weer was; Franz zag dat de Rex Schröter negeerde, hij besteedde geen enkele aandacht aan de leerling bij het bord, die daar gehoorzaam maar zonder een spoortje onderdanigheid stond, wachtend op de verzoeken die de hoge ome tot hem zou richten, maar die was nog bezig met zijn kritiek op de in het onderwijs gangbare uitspraakregels, waarbij hij deed alsof hij, nog altijd verdiept in de grammatica, in zichzelf sprak. 'Muzikaal accent!' las hij hardop, de moeite nemend om een honend lachje te onderdrukken. 'De lettergreep waar de nadruk op valt onderscheidt zich van de niet benadrukte lettergreep door een hogere toon...'

Plotseling richtte hij zich rechtstreeks tot de klas. 'Geloof toch niet alles wat daar in staat!' zei hij met zijn rechterwijsvinger dwingend naar het boek wijzend dat hij in zijn linkerhand ophield. 'Niet klakkeloos althans!' Hij zweeg even en vervolgde toen:

'Ja, als de Grieken de grammofoonplaat al hadden gekend...'

Weer verviel hij in gepeins, en vervolgde toen, tegen Kandlbinder en aandachtig formulerend: 'Een grammofoonplaat met de stem van Socrates – dat is wel het mooiste wat een mens zich kan voorstellen, vindt u ook niet, Herr Doktor?'

De leraar kon geen passend antwoord bedenken, hij knikte welwillend, zoals hij op alles reageerde wat de Rex ten beste gaf. Waarschijnlijk hoopte hij gewoon dat hij verder kon gaan met het demonstreren van Schröters kennis.

Vergiste Franz zich, of had de Rex werkelijk geen belangstelling voor Schröter? Niet alleen geen belangstelling, maar ook geen sympathie – het lijkt er bijna op dat hij hem niet erg mag, dacht Franz, nou ja, misschien verbeeld ik het me maar, waarom zou hij hem niet mogen. Hoe dan ook; hij draaide zich niet naar hem om, zoals Schröter eerst bij hem had gedaan. Wil hij de onzinnige demonstratie van de ster van de klas beëindigen, of ligt Schröter hem gewoon niet? Een vriendelijk woord was toch wel het minste? Maar het kwam niet over zijn lippen, en de donkere, stevig gebouwde, beleefde jongen legde meteen het stukje krijt dat hij nog in zijn hand had terug in de richel onder het bord en liep terug naar zijn plaats toen de Rex, die zoekend de klas rondkeek, zei: 'Nu zou ik graag een andere leerling van u horen, Herr Doktor!'

Hij klonk niet meer zo opgeruimd. De vader van de school die goedmoedig een van zijn klassen kwam bekijken – dat was definitief voorbij; daarboven, achter de lessenaar, zat nu, als op een wildkansel, een jager op drijfjacht door de school, dik, vijandig, een van die akelige scherpschutters en pachters van jachtgrond. De dertig derdeklassers, die in drie rijen, twee aan twee – de laatste rijen waren leeg – onder hem zaten, krompen ineen. Mij zal Kandlbinder niet naar voren roepen, dacht Franz, zonder zich af te vragen waar hij het vertrouwen vandaan haalde dat zijn naam dat uur niet zou vallen. Konrad natuurlijk, dacht hij opgelucht toen hij zich omdraaide om te kijken naar wie de leraar wees, hij roept de ene na de andere voorbeeldige leerling naar voren, er is geen gevaar dat ik de beurt krijg. Hij keek hoe uit de achterste bank in de rechter rij de aangewezene opsprong toen Kandlbinder zei: 'Kom jij eens naar voren!' Franz vroeg zich af of het de Rex opviel dat Kandlbinder deze leerling niet bij zijn naam noemde.

Alleen al de manier waarop hij overeind kwam, snel maar niet gedienstig en met een groteske beweging van zijn bovenlichaam, waarmee hij de hele actie belachelijk maakte, liet de klas hopen dat er iets grappigs zou gebeuren. Lang hoefden ze niet te wachten, want de jongen, bijzonder groot en onhandig voor zijn leeftijd, liep schokschouderend, schaamteloos en vastbesloten zich te vermaken tussen de rijen lessenaars naar voren naar het bord op het podium en riep: 'Met alle plezier, Herr Doktor Kandlbinder!'

Door in navolging van de Rex zijn leraar aan te spreken met zijn net onthulde titel en zijn eigen naam, sowieso door het bevel niet zwijgend op te volgen maar het te beantwoorden, en dan nog wel met dat als een karikatuur van beleefdheid precieus toegevoegde en uitgesproken 'met alle plezier' – dat was een typische Konrad Greiff-streek. De gymnasiasten grinnikten.

Eén-nul voor Konrad, dacht Franz. Dat komt ervan als je hem alleen maar naar voren roept omdat Konrad bijna nog beter is in Grieks dan Werner Schröter; Kandlbinder is een sukkel, die dacht waarschijnlijk dat Konrad zich wel in zou houden tijdens de inspectie van de Rex, maar daar vergist

hij zich lelijk in, juist omdat de Rex er is laat hij
zich weer gelden, net als zes weken geleden, toen
Kandlbinder hem voor de eerste keer naar voren
riep. 'Greiff,' zei hij nietsvermoedend, Konrad was
opgestaan, niet zo spottend als nu maar hooghar-
tig, en kil en onbeschaamd had hij tegen Kandlbinder gezegd: '*Von* Greiff, graag!' Kandlbinder was
buiten zichzelf van woede, hij werd lijkbleek, hij
stamelde: 'Maar dat is ongehoord...' Hij rende de
klas uit en kwam pas veel later weer terug, daarna
riep hij Konrad nog maar zelden naar voren, al stak
die om de haverklap zijn arm op om zich te melden
en liet hij voor alle Griekse proefwerken een negen
of een tien noteren, maar bij zijn naam noemde
Kandlbinder hem nooit meer. Zo had Konrad hem
de voet dwars gezet, maar waarom eigenlijk, want
aan ons heeft hij nooit gevraagd hem *Von* Greiff te
noemen, hij weet dat hij onze rug op kan met zijn
'Von', wij noemen hem Greiff of Konrad en hij zegt
er niets van, het is eigenlijk ingemeen van hem dat
hij nu de gelegenheid aangrijpt om de Rex te laten
zien hoe hij met onze leraar omspringt, onbegrijpelijk dat Kandlbinder daar niet aan heeft gedacht
en hem naar voren riep, juist nu had hij moeten
vasthouden aan zijn principe dat hij geen lievelin-

getjes heeft en geen leerlingen die hij niet mag, maar in plaats daarvan roept hij eerst de allerbeste naar voren en daarna de enige die hij ongetwijfeld haat, al heeft hij er nooit meer iets van laten merken sinds Greiff eiste dat hij hem met Von Greiff aan zou spreken, ik zou weleens willen weten wat hij heeft gedaan toen hij die keer de klas uit rende, is hij zich bij de Rex gaan beklagen, heeft hij hem gevraagd wat hij met de situatie aan moest of is hij naar de toiletten gehold om over te geven? – Konrad stond er nog steeds toen hij terugkwam in de klas en Kandlbinder zei alleen maar 'Zitten!' tegen hem en vanaf dat moment heeft hij hem nooit meer bij zijn naam genoemd. Des te stommer dat hij hem juist nu naar voren roept, de idioot ging ervan uit dat Konrad zich vandaag tegenover hem zou gedragen en hield er helemaal geen rekening mee dat hij erop uit was zijn leraar voor de Rex voor schut te zetten. Waarom eigenlijk? Die misselijke jonker! Met dat schaamteloze 'Met alle plezier, Herr Doktor Kandlbinder!' probeerde hij alleen maar de leraar uit zijn evenwicht te krijgen, hem misschien te verleiden tot een 'Greiff, wat denk jij wel?' – wat hem in de gelegenheid zou stellen om nog een keer – nu in de aanwezigheid van de Rex – dat 'Von Greiff, graag!' ten beste te kunnen geven.

De hele klas verkneukelde zich om de woorden-wisseling die nu zou volgen – ook daarin zou de leraar ongetwijfeld aan het kortste eind trekken. Zonder een spoortje medelijden keken de leerlingen toe hoe Kandlbinder zich weer liet provoceren, hij stond wit weggetrokken en sprakeloos bij het bord – maar ze hadden geen rekening gehouden met de Rex, die, sneller dan Franz voor mogelijk had gehouden van die corpulente man, ingreep.

'Aha,' zei hij terwijl hij met zijn blauw-gouden blik de jongen kil monsterde, 'daar zullen we onze jonge baron Greiff hebben! Ik heb veel over je gehoord, Greiff. Je schijnt heel goed in Grieks te zijn. Als je het nog een keer nodig vindt een bereid-verklaring af te geven wanneer je naar voren wordt geroepen of het nog een keer nodig acht je leraar met *Herr Doktor* aan te spreken in plaats van met *Herr Professor*, zoals je geacht wordt te doen, mag je van mij meteen een uur nablijven. Duidelijk, Greiff?'

De Rex kent Greiff dus, dacht Franz. Dan is Kandlbinder toen, na zijn aanvaring met Konrad, toch naar hem toe gegaan om zich over Greiff te beklagen. Of kent hij ons allemaal? Dan ligt hij echt

op de loer, als hij ieder van ons met naam en toe-
naam kent.

Hoe hij Greiff had aangepakt! Op dat moment
had de hele klas bewondering voor de Rex. Hij gebruikte dezelfde methode die hij op Kandlbinder
had toegepast; zoals hij diens doctorstitel terloops
ter sprake bracht om zijn prestige te vergroten, be-
vorderde hij Konrad Greiff ook eerst in rang; hij
wees de klas erop dat ze met Greiff niet zomaar een
'Von' in hun midden hadden, maar iets beters, een
baron zelfs, maar waar hij de academische waar-
digheid van de leraar bleef bevestigen, 'Nietwaar,
Herr Doktor?' tot nog toe althans, afgezien van het
feit dat hij hem er met onverholen dreiging in zijn
stem op had gewezen dat hij niet moest proberen
hem zand in de ogen te strooien betreffende de
voortgang met de leerstof – had hij hem meteen na
het noemen van zijn adellijke titel verder twee keer
achter elkaar niet met die titel aangesproken, maar
gewoon met zijn familienaam. Zou Konrad het wagen ook de Rex, net als zijn klassenleraar zes weken
geleden, terecht te wijzen?

Even leek hij het erop te willen wagen. 'Maar u
hebt toch zelf...' begon hij, maar de Rex liet hem
zijn zin niet afmaken.

'Nou goed,' zei hij vriendelijk, niet hard, maar ook niet zacht, 'een uur nablijven. Vanmiddag, van drie tot vier.' Hij richtte zich tot Kandlbinder. 'Het spijt me, Herr Doktor, dat ik uw middag zo moet bederven,' zei hij, doelend op het feit dat de klassenleraar de arrestant zou moeten bewaken. 'Maar een heer van dit slag kan een mens niet zomaar vrijuit laten gaan.' Plotseling schoot hij in de lach. 'Een jonker! ...Laat hem maar op zijn geschiedenis zweten, vanmiddag,' vervolgde hij, 'in geschiedenis is hij lang niet zo goed als in Grieks.' Hij schudde zijn hoofd. 'Vreemd eigenlijk voor iemand die zo trots is op zijn titel, dat hij zich niet voor geschiedenis lijkt te interesseren.'

Hij weet alles van Konrad, dacht Franz, hij weet zelfs hoe hij er met de andere vakken voor staat. Franz keek naar het schouwspel, naar de Rex, die zichtbaar genoot van de verbazing van de klas dat hij Greiff zo door en door kende, en naar Greiff, die ineens geen praatjes meer had, zijn gezicht liep rood aan, met een uur nablijven had hij vast geen rekening gehouden, dacht Franz.

De Rex richtte zich weer direct tot de bestrafte. Geduldig, maar ook uit de hoogte, vond Franz – sprak hij hem belerend toe. 'Je wilde zeggen, Greiff,' –

opnieuw liet hij zijn titel weg, 'dat ik zelf je leraar met Herr Doktor heb aangesproken. Misschien had ik je laten uitpraten als je, zoals het hoort, tegen mij had gezegd "Maar u hebt toch zelf, Herr Oberstudiendirektor," want voor jou ben ik niet iemand die je zomaar met "u" kunt aanspreken maar alleen met Oberstudiendirektor, onthoud dat. Jammer dat wij in Duitsland geen leger meer mogen hebben, dan zou je leren dat "ja" niet volstaat, maar alleen "Jawel, *Herr* luitenant". – Ach,' zei hij, 'in het leger zouden ze je wel leren wat discipline is.'

Dat is onlogisch, dacht Franz, ook als we een regulier leger hadden in plaats van die honderdduizend man Reichswehr die de Engelsen en de Fransen ons nog slechts hebben toegestaan, zouden we pas na school leren dat je tegen een luitenant niet gewoon 'ja' mag zeggen, maar 'jawel, Herr luitenant', we zijn pas veertien, en hoewel ook Franz voor een regulier leger was, omdat zijn vader in de oorlog officier was, stond de gedachte aan een leven in het leger zoals de Rex dat afschilderde hem tegen; of de Rex ook aan het front had gediend, net als zijn vader, die drie keer gewond was geraakt, vroeg Franz zich af, hij kon het zich niet voorstellen, de Rex zag er niet uit als een frontsoldaat, niet eens als iemand die ooit ergens gewond was geraakt.

'Hopelijk zullen jullie allemaal nog in militaire dienst gaan,' vervolgde de Rex, terwijl hij zich tot de hele klas wendde, 'hopelijk is het Rijk snel weer sterk genoeg,' maar toen stapte hij van de herinneringen aan zijn militaire dienst bijna naadloos weer over op Konrad Greiff.

'Maar ook als je mij correct met mijn titel had aangesproken,' zei hij, 'had ik je niet toegestaan je leraar op dezelfde manier aan te spreken als ik.' – Putte dat ene na het andere 'had' hem uit? Hij klonk in ieder geval iets onverschilliger dan voorheen toen hij vervolgde: 'Dat je onze Herr Professor met zijn naam aansprak was zeer ongepast. – Kandlbinder!' zei hij hem na. 'Ts, ts, ts! Alleen daarom al heb je een uur nablijven verdiend.'

Hij was al te uitvoerig en te gedetailleerd ingegaan op Konrads vormfouten en leek nu vastbesloten verder geen aandacht te besteden aan de situatie waarin hij zijn leerling had gebracht, zelfs Konrads nek is vuurrood, dacht Franz. Dat ts, ts, ts kwam er weer uit alsof daarmee alles was gezegd, het geval Greiff was met die sisklanken als hopeloos bestempeld en afgesloten, onnodig dat hij er nog woorden aan vuilmaakt, dacht Franz, maar de Rex was nog niet klaar, hij kon het niet laten er nog aan toe te voegen: 'Quod licet Jovi, non licet bovi, zoals je met Latijn hebt geleerd!' Uitvoerig, ontspannen haast, alsof hij alle tijd had voor terechtwijzingen rolden de woorden over zijn lippen, heeft hij dan nog steeds niet in de gaten dat hij Konrad tot het uiterste heeft getergd, iedereen keek naar hun klasgenoot, de laatste restjes neerbuigende spot waren uit hem geknepen, hij stond daar, wijdbeens, ze zagen hoe achter zijn rug zijn handen elkaar vastgrepen en verkrampten. Toen kwam het.

'Ik ben geen stuk vee,' stootte hij uit, 'en u bent Jupiter niet. Niet voor mij! Ik ben een Freiherr von Greiff en u bent voor mij niets meer dan een Herr Himmler!'

Het was meer dan waar de klas op had gerekend. In het toch al lijkbleke klaslokaal leken ineens spierwitte vaandels van roerloosheid en doodse stilte te hangen, zelfs het licht van de vroege zomer dat door de kastanjeboom op het schoolplein zeefde ketste af op de ramen en bereikte de klas niet meer. Alleen de uitbarsting van de Rex kon de leerlingen nog bevrijden van de opgekropte spanning die hen gevangen hield; ademloos wachtten ze af op welke manier hij zijn zelfbeheersing zou verliezen.

Ze werden teleurgesteld. De Rex hield zich in, stoof niet woedend op – onvoorstelbaar, zoals hij zich inhoudt, dacht Franz –, met een onnavolgbare gelatenheid schudde hij zijn imposante, als door een kepie met dun wit haar bedekte hoofd, de gezonde, ondanks zijn leeftijd nog altijd strak gespannen huid van zijn gezicht verschoot niet eens van kleur, alleen aan de manier waarop hij de Griekse grammatica eindelijk opzijlegde, geluidloos, spiedend, vastberaden, liet hij merken dat hij de persoonlijke belediging, de ongehoorde brutaliteit die Konrad Greiff zich had gepermitteerd – in de hele geschiedenis van het gymnasium, dat de naam droeg van het Beierse vorstenhuis, had nog nooit iemand zich iets dergelijks veroorloofd – niet zou laten passeren.

Maar eerst speelde hij nog even de kenner, de geleerde die uit pure liefhebberij in de eindexamenklas geschiedenis geeft hoewel hij dat – als rector van de school – niet hoefde te doen.

'Die titel van jou,' stak hij van wal, 'is niet zo oud als je denkt, Greiff.' – 'Greiff,' herhaalde hij en het lukte hem daadwerkelijk om er neutraal en zakelijk bij te blijven kijken, 'het is eigenlijk alleen maar een soort bijnaam die veel ridders aannamen.

Greif, Grif, Grip, zo noemden die heren zich, naar de legendarische roofvogel, de meesten waren oorspronkelijk niet veel meer dan naamloze boerenkinkels die door de een of andere leenheer als opziener van een dorp waren aangesteld. Hun nakomelingen werden roofridders, die Greifen voegden er een streeknaam aan toe. Greif van Zus-en-zo. Bij jullie Greiffen uit Neder-Franken is het zover niet eens gekomen.'

Alleen bij het uitspreken van de woorden 'die heren' klonk zijn stem iets minder zakelijk, boosaardig, maar pas bij de bewering dat Konrads voorvaderen naamloos waren stopte hij met zijn hooghartige lesjes en nam hij wraak voor het feit dat Konrad Greiff tegen hem had gezegd dat hij voor hem 'niets meer was dan een Herr Himmler'. Hij probeert nog steeds een gemoedelijke toon aan te slaan, die poseur, dacht Franz plotseling van haat vervuld toen hij de Rex hoorde vragen: 'Weet je wie mij dat ooit eens heel precies heeft uitgelegd, Greiff? Je ouweheer! Ik heb een paar keer het genoegen mogen smaken hem te spreken. Een man met heel gezonde opvattingen, zonder een spoortje inbeelding vanwege zijn adellijke titel.'

Poeslief geeft hij Konrad een draai om zijn oren,

dacht Franz, dat kan dus, dat iemand een ander zo poeslief aftuigt, hij keek snel opzij naar Hugo Aletter, om te zien of die net zo ontzet was als hij, maar aan diens bleke gezicht viel niets af te lezen, hij keek gebiologeerd naar de scène die zich vooraan op het podium afspeelde en ook Konrad leek niets te hebben gemerkt van de oorveeg die hem was uitgedeeld, en als het wel zo was, dan had hij de klap met een kort rukje van zijn schouders van zich afgeschud, zijn woede leek alweer verdampt, de verkrampte handen achter zijn rug ontspanden, hij had zich hervonden.

'Mijn vader doet altijd alsof hij de bescheidenheid zelve is,' sprak hij nu op belerende toon tegen de Rex, honend, ijskoud. 'Dat kan hij heel goed. Maar in werkelijkheid...' Hij liet de zin in de lucht hangen, haalde zijn schouders op en vervolgde: 'We hebben twee landhuizen, driehonderd hectaren weiland en driehonderd hectaren bos.'

'Ik ken mensen die net als je vader van adel zijn en die drieduizend hectaren grond bezitten,' reageerde de Rex, hij probeerde ad rem te reageren, maar het lukte niet, hij kon zijn woede niet meer verbergen. Hij is niet woedend om wat Konrad heeft gezegd, maar omdat hij überhaupt iets heeft

40

gezegd, dacht Franz. Dat is nu eenmaal onbestaanbaar op school, dat een leerling zijn leraar – de Rex nog wel! – tegenspreekt, niet eens tegenspreekt, maar doet alsof hij tegen zijn leraar kan praten als met wie dan ook. Fantastisch, zoals Konrad dat had klaargespeeld! De Rex had zijn schaamteloze dikdoenerij over landhuizen, velden en bossen met een handbeweging van tafel moeten vegen, maar in plaats daarvan had hij zich door Konrad laten verleiden tot gehakketak en nu wist hij niet meer hoe hij eruit moest komen.

'Jullie landhuizen zijn niet heel oud,' probeerde de Rex, die misschien al wist dat hij ging verliezen. 'Zeshonderd jaar!' zei hij op een toon alsof het niets was. Hij liet zich zelfs nog verleiden tot een poging Greiff te overtroeven. 'Wij Himmlers zijn veel ouder!' Hij stak zijn rechterwijsvinger op. 'Herleidbaar tot het oude stadspatriciaat in Oberrhein. Er staat een Himmlerhuis in Bazel en een in Mainz. Op het huis in Bazel staat het jaartal 1297!'

'Mijn gelukwensen!' zei Konrad.

Waarschijnlijk wist hij evenmin als de rest wat dat was, *stadspatriciaat*. In de geschiedenislessen die ze in de eerste tot en met de derde hadden gekregen was dat woord niet eens genoemd, Franz verveelde zich tijdens de geschiedenislessen, hij had geen zin om de jaartallen van veldslagen uit zijn hoofd te leren waarin, zoals ze werd verteld, over het lot van volkeren of grote mannen werd beslist. *Stadspatriciaat* – dat moest iets nobels zijn, zo sprak de Rex het tenminste uit, net zoiets als *adel*, iets wat Konrad Greiff natuurlijk niet op zich kon laten zitten, voor hem bestond er niets wat zelfs maar de voeten van de adel mocht kussen, maar hij had geen puf meer om met de Rex te kissebissen over een onbekend woord, het zal hem verder worst zijn, dacht Franz, omdat hij heel goed weet dat hij zijn belediging aan het adres van de Rex niet meer goed kan maken, alleen al door de Rex bij zijn naam te noemen heeft hij de belangrijkste regel genegeerd, leraren hebben geen namen, ze hebben titels, in de omgang met de klassenleraar bestaat geen Herr Kandlbinder, alleen maar Herr Professor, Konrad heeft de Rex niet alleen bij zijn naam genoemd, maar ook nog verklaard dat hij voor hem *niets meer* was dan die naam, Himmler, een zo zware belediging dat die niet ongedaan kan worden gemaakt, het kan Konrad allemaal niets meer schelen, hij maakt zich niet meer druk om de gevolgen, hij wil alleen nog kijken hoe ver hij kan gaan. Bij

Kandlbinder had hij het al verbruid, en nu ook bij de Rex, onherroepelijk, er staat eigenlijk niets meer op het spel als hij de Rex ook nog ijskoud gelukwenst met zijn *stadspatriciaat*.

'Mijn gelukwensen!' Dat was het toppunt! Dat deed ongetwijfeld de deur dicht.

Kandlbinder, die gedurende het hele voorval niet meer was geweest dan een donkere schaduw voor het bord, kwam eindelijk in beweging, hij wilde zich ermee bemoeien, zijn meerdere bijvallen, misschien met een uitroep als 'Maar dit is ongehoord!', maar ook nu weer was de Rex hem voor. Hem restte niets dan de wraak te voltrekken, dat 'Mijn gelukwensen!' kan hij niet op zich laten zitten, dacht Franz, en weer had hij bewondering voor de Rex, die niet ontplofte, maar heel rustig bleef en geen enkele blijk van opwinding gaf.

'Nou ja,' zei hij, met een onverschillige, bijna vermoeide klank in zijn stem, 'hier valt niets meer te redden.' En toen sprak hij het vonnis uit dat ongetwijfeld al vaststond op het moment dat Konrad Greiff hem 'niets meer dan een Herr Himmler' had genoemd.

'Ik zal je vader schrijven en hem verzoeken je van school te halen,' zei hij. 'Voor zover ik hem ken zal hij daar niet erg enthousiast over zijn, maar hij zal inzien dat er voor een lummel als jij op mijn school geen plaats is.'

Zíjn school, dacht Franz. Alsof die van hem was! Het is een gewone school, net als alle andere, maar hij heeft het over míjn school, míjn onderbouw 3B, waarmee hij kan doen en laten wat hij wil.

Konrad werd dus van school gestuurd, hoewel hij uitmuntend in Grieks was. Maar ook was hij zo'n brutale aap dat de Rex er genoeg van had. Ze hadden nog nooit meegemaakt dat een leerling van school werd verbannen. Het woord 'verbanning' was voor hen niet meer dan een duistere toespeling op een straf die zo zwaar was dat hij nooit werd voltrokken.

Omdat Konrad nog steeds met zijn rug naar de klas stond, kon Franz niet zien wat voor indruk het wegsturen op hem maakte, geen enkele kennelijk, want hij stond geen moment met zijn mond vol tanden, in plaats daarvan hoorden ze hem zonder aarzeling, met een bijna vrolijke intonatie vragen: 'Dan hoef ik dat uur nablijven vanmiddag zeker ook niet meer uit te zitten, neem ik aan, Herr Ober-studiendirektor?'

Daarmee lukte het hem alsnog het geduld van de

rector – echt of gespeeld, zoals Franz zich afvroeg – uit te putten, de rector sprong op achter de lessenaar en viel tegen hem uit. 'Zitten jij, Greiff!' zei hij. 'Je zult moeten afwachten wat de school je nog te melden heeft. Tot dat moment heb je je naar ons gezag te voegen.'

Ze zagen hoe Konrad na een korte aarzeling zijn schouders ophaalde en gehoor gaf aan het bevel. Hij keek erbij alsof hij wilde zeggen: 'De slimste geeft toe.' Maar eigenlijk hoeft hij helemaal niet mee te geven, hij is eruit gegooid, hij kan zijn boeken en schriften pakken en wegwezen, dacht Franz, maar Konrad draaide zich alleen maar om en liep terug naar zijn plaats, en alleen een geforceerde scheve grijns verried dat hij zijn triomf toch niet helemaal als compleet beschouwde, hoewel hij toch als winnaar uit het strijdperk was getreden.

De Rex ging niet meer zitten. Hij kwam achter de lessenaar vandaan en stapte van de verhoging af, bleef even naast de leraar staan, de mannen overlegden fluisterend, over Konrad natuurlijk, dacht Franz, de Rex legt Kandlbinder uit hoe hij met Konrad om moet gaan zolang hij nog op school is, de klas werd onrustig omdat de spanning was weggevallen, de Rex liet ze begaan, maar de stilte keerde onmiddellijk terug toen hij tussen de rijen tafeltjes heen en weer begon te lopen, een corpulente man in een lichtgrijs kostuum van dunne stof, het jasje open, zijn witte overhemd spande om zijn buik, de das, onberispelijk gestrikt en geknoopt, glom nog steeds en achter de bril met het dunne, gouden montuur stonden de blauwe ogen weer welwillend, goeiig zelfs, de tamme paardenkastanje op het schoolplein filterde het licht van een prachtige dag in mei op de gesloten ramen van het klaslokaal, München straalde, de Rex straalde en toch dacht iedereen wat Franz ook dacht: hij zoekt een nieuw slachtoffer, hij laat het niet meer aan Kandlbinder over, mijn hemel, dacht Franz ineens, dan kan hij mij ook te grazen nemen, hij schrok van de gedachte dat de oude Himmler hem naar voren kon roepen om zijn Grieks te overhoren.

Al een tijdje dacht hij 'de oude Himmler' en niet meer de Rex, want zodra Konrad Greiff de hoge ome een naam had gegeven – zoals je tegen een hond ook geen hond roept, maar 'Hector' of 'Fikkie' – was hem weer te binnen geschoten dat zijn vader hem, toen hij naar het gymnasium ging, had gewaarschuwd voor het hoofd van de school.

'De Oberstudiendirektor van het Wittelsbacher is

46

de oude Himmler,' had hij gezegd. 'Hoed je voor
die man! In de lagere klassen zul je niet veel met
hem te maken krijgen, maar mocht dat wel het geval zijn, wees dan op je hoede, zorg dat je niet in
negatieve zin opvalt. Die man is gevaarlijk!'

Dat was nu zo'n drie jaar geleden, zijn titel was
voor zijn naam gekropen, de Rex was nu voor de
hele school gewoon de Rex, niets meer – alleen
voor Konrad Greiff was hij kennelijk niets meer
dan een Herr Himmler. Zijn vader had hem trouwens nooit verteld waarom hij de man gevaarlijk
vond. Het had Franz verbaasd dat hij hem de oude
Himmler had genoemd; de Rex was hooguit een
paar jaar ouder dan vader! Voor hij hem ernaar had
kunnen vragen had zijn vader middels een vergelij-
king uitsluitsel gegeven door een jonge Himmler
ter sprake te brengen, de zoon van de rector.

'De jonge Himmler deugt helemaal,' had zijn vader gezegd. 'Een voortreffelijk jongmens, een aanhanger van Hitler, maar niet star, hij komt ook bij
ons langs, bij de aanhangers van Ludendorff en op
de bijeenkomsten van de *Reichskriegflagge*, van de
kameraden die bij ons in en uit lopen is hij een van
de slimste en betrouwbaarste, beheerst, maar met
een ijzeren wilskracht, hij is van jaargang 1900, te

jong om frontsoldaat te worden, maar ik weet zeker dat hij zijn mannetje had gestaan in de loopgraven, zo eentje had ik graag in mijn compagnie gehad, zijn vader en hij zijn aartsvijanden, de oude Himmler is van de Bayrische Volkspartei, zwart tot op het bot, hij beschouwt zichzelf als een nationalist, maar in de oorlog was hij ordonnans, hij is niet eens antisemiet, hij gaat zelfs met Joden om, moet je je voorstellen, met Joden!, daarom heeft zijn zoon alle betrekkingen met hem verbroken, de jonge Himmler zou zich nooit vertonen in het gezelschap van Joden, jezuïeten of vrijmetselaars.

De oude Himmler is een streber,' vervolgde hij. 'Hoed je in het leven voor strebers, mijn zoon,' zei hij opgeruimd. 'Hij gaat iedere zondag naar de hoogmis in de Sint-Michaëlkerk in de Kaufingerstrasse. Daar vind je iedereen bij elkaar die in München bij de crème de la crème probeert te horen.'

Hoe weet hij dat, dacht Franz toen hij naar de uiteenzetting van zijn vader luisterde, vader is toch protestants, hij heeft bij mijn weten nog nooit een katholieke mis bijgewoond, de Kiens zijn van protestantse afkomst, hun moeder was uit de katholieke Kerk gestoten omdat ze een protestant trouwde en hun kinderen – vader had erop gestaan – protestants waren gedoopt. Franz Kien senior – Franz had bij zijn doop de voornaam van zijn vader gekregen – was niet alleen een aanhanger van Ludendorff en een antisemiet, maar ook een gelovige lutheraan, hij bracht mij voor mijn confirmatie iedere week naar de zondagsschool in de Christuskerk, herinnerde Franz zich.

Drie jaar geleden sprak zijn vader nog gloedvol en geestdriftig wanneer hij zijn zoon een uiteenzetting gaf van de denkbeelden van zijn afgod, generaal Ludendorff, met een schallende stem die geen tegenspraak duldde en goed paste bij zijn verhitte gezicht onder zijn zwarte haar; Franz was altijd onder de indruk als hij hem zo hoorde praten – twijfels, tegenwerpingen schoten hem altijd pas later te binnen – maar nu, drie jaar later, was die stem mat geworden, maakte zijn vader op Franz een gebroken indruk, de ziekte waar hij aan leed had hem veranderd, hij moest vaak het bed houden, de zaken gingen slecht, hij trok zelfs zijn kapiteinsuniform niet meer aan als hij, nog altijd fier rechtop maar nu in burger, naar de nationalistisch-militaristische bijeenkomsten ging die in München bij iedere denkbare gelegenheid werden gehouden. Alleen aan de rozet in het knoopsgat van zijn bur-

gerpak was nog te zien dat hij in de oorlog zwaar-
gewond was geraakt en was onderscheiden met het
IJzeren Kruis Eerste Klasse.

Zoals hij tussen de banken door sloop zag de Rex
er helemaal niet uit als iemand die een onderschei-
ding had gekregen omdat hij gewond was geraakt.
Hij ziet er gezond uit, dacht Franz, dik en gezond
en al is het geen vrolijke dikkerd, hij ziet er niet
getekend uit, zoals vader, waarschijnlijk is hij niet
een paar jaar maar minstens tien jaar ouder dan vader, zestig waarschijnlijk als hij een zoon heeft die
twee keer zo oud is als ik en zich al met politiek be-
moeit, die oude Himmler ziet er in elk geval goed
geconserveerd uit, alleen van dichtbij zie je dat zijn
gezicht niet meer glad is maar uit duizenden kleine rimpeltjes bestaat, en toch lijkt zijn huid glad,
omdat hij zo rood is, die rode vleeskleur onder dat
gladde, witte haar, alles aan hem is licht, aardig en
fris, net als dat piekfijne witte overhemd, maar toch
mag ik hem niet; doe mij mijn zieke vader maar,
die er niet meer zo goed uitziet als vroeger, zelfs
als hij een van zijn woede-uitbarstingen heeft en
door de kamer ijsbeert omdat ik weer eens een vijf
heb gehaald voor wiskunde, hoewel ik het ook niet
kan helpen dat ik slecht ben in wiskunde, en die

saaie, stomvervelende Kandlbinder is mij nog altijd liever dan deze onaangename baas, voor geen
goud zou ik zijn zoon willen zijn, ik kan me voorstellen dat zijn zoon ruzie met hem heeft gekregen
en weggelopen is als hij steeds van die spreuken
heeft moeten aanhoren zoals die over Socrates
– dat een grammofoonplaat met de stem van Socrates het mooiste zou zijn wat je je kunt voorstellen. Als Socrates de beker met dolle kervel ledigt,
zou de oude Himmler dat ook kunnen aanhoren?
Het zou Franz niet verbazen. Of de laatste woorden
van Christus aan het kruis – Franz' fantasie ging
altijd met hem op de loop –, dat was toch wat de
rector, zwart tot op het bot als hij was, zoals zijn vader altijd zei, altijd maar weer zou afspelen op zijn
platenspeler, gesteld dat ze toen op de Olijfberg dat
'Vader, Vader, waarom hebt gij mij verlaten' hadden
kunnen opnemen.

Aan de andere kant was de Rex een man die met
een beslist gebaar van zijn wijsvinger op de Griekse grammatica wees en verklaarde: 'Geloof toch
niet alles wat daar in staat!' Socrates vereren en de
grammatica in twijfel trekken – hoe combineerde
hij dat in zijn hoofd? Óf hij heeft een grotere her-
senpan dan de andere leraren, dan Kandlbinder bij-

voorbeeld, óf hij is niet helemaal goed snik.

Hij liep nu langs de rij waar Franz Kien aan de binnenkant zat en bleef naast hem staan. Franz durfde niet naar hem op te kijken, hield zijn hoofd omlaag en zag alleen het over zijn buik gespannen witte overhemd en een hand waarop witte – of waren het blonde? – haartjes schemerden boven een paar ouderdomsvlekjes, de Rex droeg een brede, gouden trouwring aan de middelvinger van zijn rechter-hand, Franz deed die observaties alleen maar uit pu-re vertwijfeling, hopend dat de Rex het toch niet op hem had voorzien, al was hij tijdens zijn drijfjacht naast hem blijven staan als een jager die iets in het kreupelhout had horen kraken.

Het schietgebedje dat zich uitte in het star weg-kijken van de Rex leek te hebben geholpen, want de Rex richtte zich tot Hugo Aletter, die naast Franz zat, niet om hem voor een overhoring naar voren te roepen, maar alleen om met zijn hand met daaraan die glimmende trouwring, langs Franz' gezicht, naar Hugo te wijzen.

'Haal onmiddellijk dat speldje van je jasje!' zei hij bits.

Hugo had een paar weken geleden uit dun ver-guld blik een hakenkruis gesneden. Het was goed gelukt en hij droeg het insigne trots op zijn revers. Veel had het niet te betekenen, wist Franz, Hugo droeg het alleen maar omdat hij het een mooi symbool vond en omdat zijn ouders, Duitse nationalisten, er net als de meeste ouders van de gymnasiasten geen kwaad in zagen. Ja, als hij een echt insigne van die Hitlermannen had gekocht, zo'n rond emaillen ding, hadden ze het hem afgenomen, dat zou volgens hen te ver gaan, ongepast zijn voor zijn leeftijd, maar zo'n knutselwerkje gunden ze hem, het was niet meer dan een symbool, een jongensspeeltje.

Franz keek – opgelucht dat de aandacht van de Rex niet naar hem uitging – naar Hugo, zag hoe zijn bleke, pukkelige gezicht rood werd, hoe hij snel en gedienstig het hakenkruis losmaakte en het in zijn zak liet glijden.

De Rex liet zijn arm zakken. Hij draaide zich om naar de leraar, die nog altijd op dezelfde plek bij het bord stond. Alsof ze hem hebben vastgelijmd, dacht Franz.

'U weet toch, Herr Kandlbinder,' zei hij, dat ik op mijn school geen politieke symbolen duld.'

Hij had alle hoffelijkheid laten varen en sprak de leraar niet meer aan met *Herr Doktor*.

'Ik heb de leerlingen er keer op keer op gewezen,' antwoordde Kandlbinder.

'Ts, ts, ts!' Eindelijk was de Rex weer in de gelegenheid om zijn beroemde, iedere verdere discussie uitsluitende gesis voort te brengen. Het waren net zweepslagen. 'Ik zal het nog een keer op het bord zetten. Dat je alles steeds maar weer moet herhalen! Geen politieke insignes!' riep hij uit, nu weer over de hoofden van de leerlingen. 'Liever helemaal geen insignes! Laat dat duidelijk zijn!'

Hij klonk overtuigend. Hij doelde dus niet alleen op Hugo's hakenkruis als hij het dragen van politieke symbolen, insignes in het algemeen verbood. Dat hakenkruis zal hem wel in het bijzonder storen, dacht Franz, omdat dat er volgens hem de schuld van is dat hij en zijn zoon vijanden van elkaar zijn geworden, dodelijke vijanden zelfs, had zijn vader gezegd. Ze zagen elkaar niet meer, de jonge en de oude Himmler. Franz betwijfelde of hij alleen van huis was weggelopen omdat hij nu een hakenkruiser was geworden. Misschien was hij een hakenkruiser geworden omdat die ouwe hem zo op zijn zenuwen werkte dat hij het bij hem niet meer uithield.

Maar toen gaf de Rex een reden voor zijn maatregel tegen het dragen van insignes die insloeg als een bom.

'Als ik dat daar tolereer,' zei hij, nogmaals wijzend naar de nu lege revers van Hugo's jasje, 'dan kan ik er niets tegen inbrengen als de volgende keer iemand met een Sovjetster aan komt zetten. – Nou, ja,' voegde hij eraan toe, 'zo iemand zou er meteen met een grote boog weer uit vliegen.'

Logisch, dacht Franz. Als hij een Sovjetster zag, zou de Rex niet gewoon 'Haal hem eraf!' kunnen zeggen. Dan zou hij uit een ander vaatje moeten tappen. Al kende Franz in de klas, op de hele school, geen enkele leerling of leraar die een bolsjewist zou kunnen zijn. Dat was onbestaanbaar. Dat de Rex dat zelfs maar overwoog! Maar die dacht nu eenmaal aan alles.

Hakenkruisers, daar hadden ze er veel van, maar er zaten ook een paar Joden op school, in hun klas zat Bernstein Schorsch, Bernstein Schorsch was een toffe peer, 's winters ging hij altijd met hem skiën, Schorsch had hem geleerd huiden op de loopvlakken te plakken zodat je makkelijker tegen de berg opkwam, en de manier waarop hij de Brauneck afdaalde, die zo steil en smal is, was gewoon klasse, aan Bernstein merkte je helemaal niet dat

hij Joods was, zijn ouders waren trouwens even na-
tionalistisch als alle ouders, Franz had het aan zijn
vader verteld en die had gezegd: 'Ja, er zijn wel een
paar nette Joden, maar wees toch maar voorzichtig
met ze!' – maar daarover verschilde Franz met zijn
vader van mening, dat was toch duidelijk onzin, de
oude Bernstein had in de oorlog aan het front ge-
vochten, net als zijn vader, ook hij had het IJzeren
Kruis I, Franz zag geen reden voorzichtig te zijn
met Bernstein Schorsch als die hem de voordelen
van de ouderwetse Bilgeri-bindingen uitlegde wanneer ze badend in het zweet na een afdaling door de
straten van Lenggries liepen. Of de jonge Himmler
zijn oordeel over de Joden zou bijstellen als hij meer
omging met Joden als Bernstein Schorsch? Franz
hoopte het, omdat de jonge Himmler, hoewel hij
hem niet kende, hem een sympathieke vent leek;
een zoon die bij zo'n vader, bij die versleten, afge-
ragde Socratesplaat, op de loop was gegaan moest
wel een goeie vent zijn. Alleen dat hij onmiddellijk was overgelopen naar die antisemitische heer
Hitler alsof dat zijn nieuwe vader was beviel Franz
niet; Franz had foto's van Hitler gezien – Hitler
had een gezicht dat hem niet kon boeien. Het was
dom en middelmatig. In dat opzicht koos Franz de

kant van de oude Himmler, die geen hakenkruisen duldde op het Wittelsbacher Gymnasium, omdat hij natuurlijk moest zien te voorkomen dat bijvoorbeeld Hugo Aletter en Bernstein Schorsch elkaar te lijf zouden gaan, al zou hij nooit toegeven dat dat de reden was dat hij Hugo zo hard had aangepakt; er waren al te veel hakenkruisers op school, met wie hij de confrontatie uit de weg ging, hij bracht liever het argument van de Sovjetster naar voren, waar niemand iets tegenin kon brengen en hield zo verborgen dat hij met het hakenkruis een particuliere rekening te vereffenen had.

Maar plotseling stokte Franz' gedachtestroom, want de Rex liet zijn hand, die net nog naar Hugo Aletter had gewezen, neerdalen op Franz' schouder en vroeg: 'En, Kien, hoe staat het met jouw Grieks?' Hij legde de klemtoon op het woord 'jouw'.

Het is niet waar, dacht Franz. Dit is niet mogelijk. Maar meteen daarna: het is gebeurd. Het gebeurt. De Rex gaat mijn Grieks overhoren. Godschristus. Godsakkerloot. Een ongeluk. Er is een ongeluk gebeurd. Zo moet het voelen als je door een auto wordt aangereden. Onverwachts word je door een ijzeren voorwerp geraakt en val je op straat. 'Ga maar weer zitten, ik neem wel iemand anders onder handen!' Die zin zou nooit weerklinken, ijdele hoop was het, een gedachte die meteen weer vervloog toen hij opstond, want een leerling die door een leraar werd aangesproken moest opstaan, Franz was overeind gekomen en naast zijn bank gaan staan, omdat hij zelfs voor zijn leeftijd zo groot was geworden dat hij tussen de bank en de lessenaar niet meer kon staan. Hij wist dat hij op de vraag hoe het met zijn Grieks stond geen antwoord hoefde te geven, niet eens antwoorden mocht, hij had ook niets, helemaal niets kunnen antwoorden op die vraag, zo ontdaan was hij op dat moment door het ondenkbare dat als een sluier over hem neerdaalde, hij voelde zijn ogen ook werkelijk troebel worden, zijn blikveld vernauwde zich en hij zag nauwelijks hoe de gezichten van zijn medeleerlingen vol leedvermaak zijn kant op draaiden.

De vraag hoe het ervoor stond met zijn Grieks klonk nog goedmoedig, alsof het de Rex maar half en half interesseerde hoe Franz met het Oudgrieks uit de voeten kon, maar zijn stem werd een tikje harder toen hij vervolgde: 'Hopelijk heb je met Grieks wat meer je best gedaan dan met Latijn, waar je niet bepaald eer mee hebt ingelegd.'

Zo liet hij de klas weten dat hij van de resultaten van scholier Franz Kien even nauwkeurig op de hoogte was als van Konrad Greiffs prestaties. Waarschijnlijk nam hij de rapporten van alle leerlingen door alvorens een klas te inspecteren, en koos hij van tevoren de leerlingen uit die hij wilde overhoren. De klas mocht gerust weten dat hij niets aan het toeval overliet, dat hij zich zorgvuldig had voorbereid op hun ontmoeting – hij wilde dat ze dat wisten.

Franz bleef staan. Het was nog altijd mogelijk dat de Rex hem niet zou sommeren naar voren te komen, maar het bij een paar mondelinge vragen zou laten. Een ogenblik hoopte hij als door een wonder te zijn ontkomen aan het dreigend onheil, want de Rex zei, al was het met een malicieus lachje: 'Het is verdienstelijk Franz Kien te loven.'

Franz staarde hem aan alsof hij een geest zag en liet uit pure verbijstering zijn onderlip hangen. Wat bedoelt hij, we hebben toch geen zin doorgenomen waar mijn naam in voorkomt? Hij probeert de draak met me te steken. Hij zet me voor schut.

'Je lijkt verrast,' zei de Rex. 'Wees zo goed om die zin op het bord te schrijven! In het Grieks natuurlijk. Jullie hebben hem in de laatste of de voorlaatste les behandeld...' Hij draaide zich half om naar

Kandlbinder en die riep: 'Afgelopen dinsdag!'

'...als een van de eenvoudigste toepassingen van het onvoltooide deelwoord,' vervolgde de Rex. 'Het onvoltooid deelwoord als bijwoordelijke bijstelling. Weet je wat dat is?'

Franz stond met zijn mond vol tanden, liever niets zeggen dan iets wat fout is, dacht hij en de Rex leek het met hem eens te zijn. 'Hoef je ook niet te weten,' zei hij, alvorens hij vervolgde: 'Maar die zin, dat moet lukken. Die moest je namelijk voor vandaag leren.'

Met een naar boven gekeerde handpalm, een ogenschijnlijk vriendelijk maar in werkelijkheid boosaardig, onverbiddelijk gebaar, nodigde hij Franz uit voor het bord plaats te nemen. Kandlbinder deed een stap opzij, maakte ruimte voor het donkere, dreigende zwarte vlak dat leeg was, afgezien van de drie dubbele medeklinkers die Werner Schröter links boven in de hoek had opgeschreven en niet uitgewist had, zo snel was hij weer teruggegaan naar zijn plaats, omdat de Rex nu eenmaal geen belangstelling had voor uitblinkers.

Die liep achter Franz aan naar voren – zoals hij achter mij aan sluipt! dacht Franz – maar ging niet zitten, pakte de Griekse grammatica en citeerde,

Kandlbinder aankijkend: 'Bijwoordelijke bijstellingen bij voltooid deelwoorden! Ts, ts, ts – alsof veertienjarigen daar iets mee kunnen beginnen! En dan staat er ook nog bij: supinum II of dativus finalis of gevolgaanduidende bijzin. Dat is toch om je dood te lachen!' Zijn stem was inmiddels doortrokken van onverholen spot. Terwijl hij de leerlingen aankeek zei hij: 'Weet iemand van jullie wat een gevolgaanduidende bijzin is?' Toen niemand zijn arm opstak zei hij, wederom tegen Kandlbinder: 'Ziet u wel? Ik weet het namelijk ook niet, ik moet er eerst diep over nadenken wat ze met een gevolgaanduidende bijzin bedoelen.' Hij legde zijn hand met een plechtig gebaar op het boek. 'Die grammaticaschrijvers!' donderde hij. 'Die denken dat ze omdat ze voor humanistische gymnasia schrijven werkelijk alles moeten benoemen.' Hij hield zich in en schudde zijn hoofd. 'Hoogste tijd,' zei hij, 'dat ik eens nakijk of er geen grammatica bestaat die begrijpelijk is voor derdeklassers. Een aanschouwelijke. Lesmateriaal moet aanschouwelijk zijn, anders is het alleen maar ballast.'

Franz luisterde niet, hij ving van het betoog net genoeg op om althans deze keer zonder voorbehoud in te stemmen met de Rex, maar hij concentreerde zich verder niet op wat de Rex zei, hij was alleen maar opgelucht dat hij zich niet met hem bemoeide zolang hij zich beperkte tot zijn luide en verwijtende monologen over grammatica.

Maar die stopten abrupt. De stekende, blauwe, met dun goud omrande ogen richtten zich op Franz, die niet verder was gekomen dan het pakken van een krijtje. De Rex keek naar het bord en vroeg met schijnheilige verbazing: 'Waarom heb je die zin nog niet opgeschreven? Ik dacht dat je dat allang had gedaan.'

Franz stond hulpeloos voor het bord, half naar de rector toe gekeerd, maar met neergeslagen ogen. Hij probeerde zich de zin te herinneren, maar wist niet meer hoe die er in Griekse letters uitzag. We hebben dinsdag een dergelijke zin doorgenomen, wist hij nog, maar daarna heb ik geen blik meer in de grammatica geworpen, ik was met dat mooie weer de hele dag op straat en 's avonds heb ik Karl May zitten lezen, *Door het woeste Koerdistan*.

'Het is verdienstelijk Franz Kien te loven, want hij is een begaafde en vlijtige leerling,' zei de Rex zichtbaar vergenoegd. 'Vanaf "want" gaat het om een *gevolgaanduidende bijzin*, nietwaar, Herr Doktor?'

Franz kon niet zien dat zijn leraar, die nu bij de deur stond, zuur glimlachte. Alleen uit het triomfantelijk opklinkende 'Zie je, zo makkelijk is dat!' van de Rex kon hij afleiden dat zijn leraar het met zijn meerdere eens was.

'Nou hup, aan de slag!' zei de Rex tegen Franz. 'Hou de boel niet zo op! "Franz Kien" mag je natuurlijk overslaan. Schrijf maar gewoon de zin op zoals die in de grammatica staat: "Het is verdienstelijk het vaderland te loven."'

Toen hij merkte dat Franz niet wist hoe hij moest beginnen, hielp hij hem een beetje op weg.

'Estin,' zei hij.

'Ach, natuurlijk,' zei Franz hardop mompelend, in een mislukte poging de Rex wijs te maken dat hij even was vergeten wat hij uiteraard had geleerd. Half hulpeloos, half onoprecht klonk het: 'Ach, natuurlijk.'

Het lukte hem het woord op het bord te schrijven. εστιν. Geen moeilijk woord.

Hij liet de hand waarmee hij het krijtje vasthield zakken en deed alsof hij even moest nadenken, maar hij dacht helemaal niet na, hij wist dat het zinloos was om na te denken. Het vervolg van de zin zou hem niet te binnen schieten, nooit en te nimmer.

'Probeer de zin eens uit te spreken als je niet weet hoe je hem moet schrijven!' droeg de Rex hem op.

Als antwoord volgde slechts een gekweld zwijgen. De Rex verloor zijn geduld. 'Je hebt gewoon zitten slapen afgelopen dinsdag!' zei hij. Als hamerslagen dreunde hij de woorden van de zin op door de klas.

'Estin... axia... hède... hè... chora... epaineisthai.'

Had Franz in zijn totale verwarring, omdat hij nog steeds niet was bekomen van de schrik dat hij naar voren was geroepen om overhoord te worden, eigenlijk wel geluisterd? Hij had in ieder geval opgevangen dat na 'estin' 'axia' kwam en het lukte hem het woord foutloos op het bord te schrijven, waarbij hij het rijtje dubbele medeklinkers dat Werner Schröter op het bord had laten staan als spiekbriefje gebruikte, want dat herinnerde hem nog net op tijd aan de Griekse schrijfwijze van de x en zo voorkwam hij dat hij daarvoor Latijnse letters gebruikte.

Bij de twee woorden die hadden geklonken als het gemekker van geiten, hè... hè, aarzelde hij. Het duurde te lang voor hem te binnen schoot dat de *h* in het Grieks niet bestaat, en net toen het hem te binnen schoot zei de Rex bestraffend: 'Het Grieks kent geen geaspireerde klanken – dat weet je toch wel, hoop ik?' Franz knikte. 'Aha,' zei de Rex, 'dan weet je dus niet hoe je de eta schrijft.' Hij liep naar het bord, pakte een stuk krijt en schreef de beide woorden ηδε en η op. Met wilskrachtige halen neergeschreven stonden ze daar naast het bibberige, slordige, onrijpe αξια van Franz.

Gemeen, dacht Franz, als hij mij twee seconden langer had gegund had ik mij de eta herinnerd, het Griekse alfabet ken ik van buiten, anders kon ik de zin die ik helemaal niet heb geleerd niet eens voor een deel op het bord schrijven, dat alfabet vond ik leuk toen we na Pasen met Grieks begonnen, ik vond het mooi, de letters zijn prachtig, maar toen daarna het stampen van de grammatica begon had ik ineens geen zin meer.

'Ik zou je eigenlijk moeten terugsturen naar je plaats,' zei de Rex, 'want het staat al vast dat je niets hebt geleerd en niets weet. Maar we gaan nog even door, Kien, ik wil toch weten hoe ver je luiheid en je onwetendheid reiken.'

Hij geeft niet eens toe dat ik de woorden – tot nu toe althans – foutloos heb opgeschreven. Ook dat 'hède' en 'hè' had ik nog wel voor elkaar gekregen.

Bij dat geitengemekker was hij me voor, hij wil me vernederen. Hij is al net zo als conrector Endres.

Conrector Endres gaf in 3B wiskunde. Het was een kleine, potige man met onvoorstelbaar brede schouders en zijn gezichtshuid leek van geel, gelooid leer gemaakt. Eén keer, toen hij huiswerk teruggaf en Franz de vijf verwachtte die hij meestal haalde voor wiskunde, zei hij, zó dat de hele klas het kon horen: 'Kien heeft er deze keer met hangen en wurgen nog een drie van gemaakt!'

'Laten we deze tragedie snel beëindigen!' zei de Rex. 'Chora... chora... chora,' herhaalde hij tegen Franz, waarbij hij de 'ch' aan het begin van het woord als keelklank uitstootte.

χωρα, schreef hij.

'Donders,' zei de Rex spottend. 'Wat een prestatie!' De waarderende woorden klonken alsof Franz er net in was geslaagd twee plus twee op te tellen. 'Nu ontbreekt alleen nog "epaineisthai",' vervolgde hij. 'Dat moet je kunnen.'

Aarzelend begon Franz aan het lange woord. Het stoorde hem dat de Rex zich ondertussen tot de klas richtte terwijl hij langzaam letter na letter op het bord schreef.

'Epaineisthai,' doceerde de Rex. 'Dat is de infinitief waarover de grammatica het heeft. "Het is lonend het land te loven",' vertaalde hij, handig gebruikmakend van de alliteratie die hem plotseling te binnen schoot. 'Maar dat is precies hetzelfde als in het Duits. Ik begrijp niet waarom jullie leerboek doet alsof de Grieken hier een grammaticaal extratje serveren.'

'Maar Herr Direktor!' Plotseling nam Kandlbinder weer het woord. Zijn stem klonk onthutst. De hele klas had tot dat moment half geïnteresseerd, half spottend toegezien hoe hun leraar zwijgend moest slikken dat de Rex, in plaats van toe te kijken, het heft in eigen handen had genomen, zodat Kandlbinder zich niet als leraar kon onderscheiden – hij had de degradatie zonder protest geaccepteerd, zonder tegenspraak, maar met zijn kritiek op de grammatica, die in de ogen van Kandlbinder niet ter zake deed, ging de Rex werkelijk te ver, dat kon hij niet over zijn kant laten gaan. Kijk, kijk, dacht Franz, Kandlbinder gaat op zijn achterste benen staan; gespannen luisterde hij hoe de vakman in de leraar tot stand bracht wat hem van nature niet gegeven was: hij sprak een superieur tegen.

'Maar Herr Direktor,' zei Kandlbinder. Het klonk niet alleen ontzet, maar zelfs beledigd. 'De grammatica geeft hier toch alleen een voorbeeld van hoe men de Duitse bijwoordelijke vorm van "prijzens-waardig" in het Grieks dient te vertalen. Hij geeft aan dat een adjectief dat als gevolgaanduidende bij-woordelijke bepaling wordt gebruikt in het Grieks de infinitief bepaalt, terwijl er in het Duits nog an-dere mogelijkheden bestaan.'

Triomfantelijk legde hij de klemtoon op 'be-staan', de laatste, beslissende bouwsteen, zo leek het, van zijn bewijsvoering.

'Zo, vindt u dat?' reageerde de Rex. Zijn stem klonk zachtmoedig, weifelend zelfs. Hij onderbrak zichzelf, zijn stem klonk nu zelfs zalvend. 'Ik vrees, geachte collega, dat dit niet de plek is om te kib-belen over het verschil tussen een bijwoord en een bijwoordelijke bepaling. Want daar loopt ons ge-sprek ongetwijfeld op uit, nietwaar, Herr Doktor?'

Franz was klaar met het noteren van de infini-tief waarover werd geredetwist en draaide zich om. Hij keek van de Rex naar de leraar – de Rex beschouwde zichzelf als de overwinnaar terwijl aan Kandlbinder te zien was dat hij hevig twijfelde of hij de strijd zou voortzetten of dat hij maar beter zijn mond kon houden. Werd 'axia' in de zin die hij zo moeizaam maar toch min of meer correct, al

was het hem dan voorgezegd, op het bord had ge-
krabbeld als bijwoord of als bijwoordelijke bepaling
gebruikt? Hem, Franz Kien, kon het geen bal schelen, hij hoopte alleen dat de strijd tussen de beide
leraren nog even doorging, liefst tot het uur voorbij
was en het schelle luiden van de bel buiten op de
gangen van het gymnasium als bij toverslag aan de
hele nachtmerrie van dit lesuur een einde zou maken.

Maar de Rex maakte een einde aan het gesprek
met de leraar door te zeggen: 'We laten het erbij!
Het komt sowieso pas in de hogere klassen aan de
orde.'

Hij draaide zich weer om naar Franz, keek hoofdschuddend naar het επειveισθει dat hij had opgeschreven, liep naar het bord, pakte de doek die op
de rand onder het bord lag en nog vochtig was door-
dat Werner Schröter hem had gebruikt, veegde de
e's na de pi en de thèta uit en schreef daar a's voor
in de plaats, zodat ten slotte, in een mengelmoes
van zulke verschillende handschriften als die van
Franz Kien en de oude Himmler, het een weifelend
en slordig, het ander streng en onverbiddelijk, het
woord correct op het bord stond: επαιveισθαι.

'Ik heb die klinkerwisseling van ai naar ei duidelijk voorgezegd,' zei de Rex. 'Maar je schijnt zelfs niet te kunnen luisteren.'

'Je' zei hij, en uit de manier waarop hij de nadruk legde op dat 'je' sprak onmiskenbaar het voornemen Franz meteen uit de klas, uit de gemeenschap van zijn medescholieren te verwijderen. 'Je zult de hogere klassen niet halen.'

Franz haalde, zij het nauwelijks merkbaar, zijn schouders op. Hij was al een paar minuten gestopt met zweten, hij had het eerder koud gekregen. De Rex had hem dus opgegeven. Niet weggestuurd zoals Greiff, daar heb ik geen aanleiding toe gegeven, maar opgegeven heeft hij mij. Het goede daaraan is dat hij dan kan ophouden met deze overhoring en dat hij iemand anders naar voren kan roepen. Als ik toch blijf zitten hoeft hij me niet langer te examineren.

'Het is niet verdienstelijk Franz Kien te prijzen,' zei de Rex. Goedkoop, dacht Franz, daar kon je op wachten. Alleen omdat hij hem kon omdraaien en mij ermee om de oren kon slaan heeft hij deze zin gekozen.

De Rex keek nog een keer naar het bord. 'Je zou het overigens wel kunnen als je het wilde,' zei hij. 'Maar je wilt het niet.'

Ook die vaststelling was niet nieuw voor Franz. Dit kreeg hij regelmatig te horen van zijn vader en van alle andere leraren. Het kwam hem zijn strot uit. Dom, dacht hij, dom, dom, dom. Stel dat ze gelijk hebben, waarom vraagt dan niemand waaróm ik niet wil?

Ik weet het zelf niet, dacht hij.

Gemeen was het dat de Rex hem nog niet losliet. In plaats van hem met een simpel handgebaar terug naar zijn plaats te sturen vroeg hij: 'Heb je eigenlijk al eens nagedacht over wat je wilt worden?'

'Schrijver,' zei Franz.

De Rex duwde de lessenaar waarop hij leunde van zich af en richtte zich op. Hij staarde Franz aan. Nu valt zijn bek open, dacht Franz. Dat had hij niet gedacht. Hij dacht dat ik weer eens zou zwijgen, dat ik hem stom zou blijven aankijken. Maar ik heb tegen hem gezegd dat ik schrijver wil worden omdat het waar is. Ik wil schrijver worden en niets anders.

'Hè?' vroeg de Rex. Dit gewone, bijna vulgaire 'hè' was het eerste geluid dat hij maakte na Franz' verklaring. Het klonk als het gegrinnik dat hier en daar vanuit de banken was gekomen. Toen had hij zichzelf weer in de hand en besloot hij begripvol te reageren, mijn hemel.

'Wat stel je je bij een schrijver voor?' vroeg hij.

Franz trok zijn schouders op en liet ze weer zakken. 'Iemand die boeken schrijft,' antwoordde hij. Stomme vraag, dacht hij, hij denkt dat ik niet weet wat een schrijver is omdat ik veertien ben.

'En wat voor soort boeken wil je schrijven?' vroeg de Rex op een toon waaruit Franz niet kon opmaken wat hij bedoelde: beschouwt hij me nu als een slungel die niet helemaal goed bij zijn hoofd is, of is hij misschien nieuwsgierig naar wat ik zal antwoorden en neemt hij me dus toch serieus? Dat zou wat zijn, als de Rex mij serieus nam!

'Dat weet ik nog niet,' zei hij.

Als ik ouder ben weet ik het, dacht hij. Op mijn achttiende, op mijn twintigste of zo. Hij overwoog of hij de Rex zou vertellen dat hij als kind al was begonnen met schrijven, maar daar kon geen sprake van zijn, hier voor de klas. De klas zou gaan loeien. Hij had in de boekenkast van zijn vader een uitgave van Shakespeare gevonden en daarin zitten lezen. Koning Hendrik de Vierde, Koning Richard de Derde. Zijn vader had pakken geel gelinieerd papier van kantoor. Franz had er toneelstukken in de stijl van Shakespeare op geschreven. Was hij toen acht, negen, tien jaar? Nog op de lagere school, of al op het gymnasium? Even lukte het hem terug te denken aan de tijd dat hij een klein jongetje was, aan de genoegens die hij voor zijn ouders en zijn broers geheim had gehouden. Intussen was hij ervan overtuigd geraakt dat hij moest wachten tot hij schrijver kon worden – nu al schrijven zou kinderachtig zijn.

'Zo, dat weet je nog niet,' zei de Rex waarderend. 'Een heel goed antwoord – dat had ik niet achter je gezocht. Ik hoop dat je goede boeken leest. Wat lees je het liefst?'

'Karl May,' zei Franz.

De Rex deinsde vol weerzin terug. 'Daar bederf je je fantasie mee!' riep hij uit. 'Karl May is gif!'

Zijn vader had precies hetzelfde gezegd toen hij hem tijdens het lezen van een Karl May had betrapt. Hij had het boek afgepakt, precies op het spannendste moment, de dood van Winnetou, en het had Franz twee weken gekost voor hij het van een medeleerling kon lenen en het uit kon lezen. Hij had zijn vader gehaat. 'Karl May is gif.' Ze hadden geen idee! Hij zou nooit ophouden met het lezen van Karl May. Later misschien, maar nu niet.

De Rex was zo teleurgesteld over zijn antwoord – wat had hij zich dan voorgesteld, dacht Franz, had ik dan Goethe of Schiller moeten lezen? – dat hij zich weer kil en nuchter richtte op Franz' ondermaatse schoolprestaties.

'Als je dan schrijver wilt worden,' zei hij, en deze keer hield hij zich niet in maar benadrukte hij het beroep dat Franz wilde kiezen, zo spottend als maar mogelijk was, 'dan begrijp ik niet dat je voor talen niet beter je best doet. Latijn! Grieks! Dat zou toch je lust en je leven moeten zijn. Grammatica! Hoe wil iemand schrijver worden als grammatica hem niet interesseert?' Onbedoeld was hij van een minachtende op een wanhopige toon overgegaan.

Nu geeft hij ineens hoog op van grammatica, dacht Franz, terwijl hij net nog zei dat we niet alles moesten geloven wat er in de grammatica staat, maar daar gaat het niet om, het gaat erom dat ik niet alleen geen Latijn en Grieks wil leren, maar helemaal niets, voor wiskunde heb ik geen aanleg, daar kan ik niets aan veranderen, maar voor Duits, geschiedenis en aardrijkskunde zou ik makkelijk hogere cijfers kunnen halen dan die eeuwige drieen waar ik maar niet bovenuit kom, zelfs bij biologie zit ik te suffen, al vind ik de oude Burckhardt aardig, en hij mij, lijkt het, zelfs vioolspelen laat me koud, ik vind het gruwelijk saai, dat gekras in de lage registers, terwijl ik me er zo op had verheugd. Mijn lust en mijn leven? Ken ik niet. Niet op school.

Maar waarom, waarom, waarom? De meeste anderen leren gewoon wat ze moeten leren, stampen hun opgaven erin, dan zijn er nog een paar die gewoon dom zijn, die kunnen doen wat ze willen, die kunnen het gewoon niet, en Werner Schröter hoeft helemaal niets te leren, die kan het allemaal al, hem komt het gewoon aanwaaien. Ik zou het kunnen als ik het wilde. Als ze dat allemaal zeggen, zal het wel kloppen. Maar ik wil niet. Wat hebben ze toch allemaal met dat willen? Je hoeft maar iets te willen en het gaat vanzelf. Als iemand niet wil is hij een luilak, ze hebben gelijk, ik ben lui, ik zit als verlamd aan mijn huiswerk, krabbel snel wat neer of stel het uit tot 's avonds en ga naar buiten. Ik vind school saai, saai, saai! Alleen Burckhardt zegt af en toe tegen me: 'Kien, straks droom je nog het raam uit!'

Ook nu, juist nu, na die zware beproeving van een kwartier, drong het tot hem door dat achter de Rex het met witte en gouden vlekken doorschoten raam lichtgroen opvlamde. Het was vast warm buiten, niet heet, maar aangenaam warm, zoals dat in mei nu eenmaal het geval was, het mooiste weer om buiten te spelen, diefje met verlos bijvoorbeeld. Franz had geleerd hoe je je met behulp van wasstokken over tuinmuren heen kon slingeren. Een aanloop nemen, optrekken en er overheen. Voor gymnastiek stond hij op school een vier, onvoldoende. Uit de beweging die hij op dat moment maakte, maakte de rector kennelijk op dat hij meende het bord te kunnen laten voor wat het was en zich probeerde te onttrekken aan de pijnlijke controle van zijn gebrekkige Grieks.

'Hier blijven!' commandeerde hij. 'Zou je misschien nog zo goed willen zijn om de accenten op de woorden te zetten! We leveren hier namelijk geen half werk,' zei hij belerend, 'vooral niet met Grieks. Griekse woorden zonder accenten, dat zou zoiets zijn als...' Hij zweeg, vond geen woorden voor een Grieks woord zonder accenten, zo weerzinwekkend was dat kennelijk. Toen vervolgde hij: 'Misschien kun je de indruk die je op me hebt gemaakt verbeteren door me te laten zien dat je tenminste de Griekse accentregels beheerst.'

Ook dat nog, dacht Franz. Het heldergroene licht doofde toen hij de klas weer de rug toekeerde. Het bord was zwart, smoezelig zwart. Hij las de zin waarin werd beweerd dat het de moeite loonde je land te prijzen, ik heb geen idee van de accenten, niet het flauwste idee, op de ε van ἐστιν zette hij op goed geluk een acutus, de Rex zei 'hm', maar toen Franz wilde doorgaan met αξια hield hij hem tegen en zei: 'Er ontbreekt nog iets bij "estin".'

Wat zou er kunnen ontbreken, dacht Franz, maar het onafgebroken staren naar het woord bracht geen verlossing, opnieuw liep de Rex naar het bord en plaatste eigenhandig voor de acutus nog een teken, dat eruitzag als een naar links neigende halve cirkel. ἔστιν, stond er nu op het bord.

'Weet je dan tenminste hoe je dat teken noemt?' vroeg de Rex en toen hij geen antwoord kreeg, zei hij: 'Spiritus lenis. Het is een aspiratieteken. Omdat de Grieken geen letter voor de h hadden, drukten ze dat uit met een teken. Grappig is daarbij overigens dat ze het ook met een teken moesten uitdrukken wanneer ze bij een woord juist geen h wilden. – Zo,' zei hij, 'en nu naar "axia"!'

Omdat hij de nadruk legde op de tweede lettergreep, schreef Franz snel een acutus op de ι. Nu kwamen de 'hède' en de 'hè', dat geitengemekker, maar nog voor Franz zich kon buigen over het probleem van de accenten bij woorden die klonken alsof een oude Griek grinnikend over zijn schouder meekeek, hield de Rex hem weer tegen.

'Nu staat er niet "axia", zoals ik je net voorzei, maar "haxia",' zei hij sarcastisch.

'Natuurlijk,' zei Franz en schreef de zojuist geleerde spiritus lenis boven de a aan het begin van het woord.

'Uitstekend,' zei de Rex. Hij richtte zich tot de klas: 'Neem dit als voorbeeld van snel leren!' Toen een paar leerlingen begonnen te grinniken, vervolgde hij: 'Ik meen het serieus. Kien heeft zojuist laten zien dat hij het kan, als hij maar wil.'

Maar het 'hède' en 'hè' maakten Franz weer machteloos. Bedrukt overwoog hij dat het niet zou volstaan boven de 'è' van 'hède' een acutus te schrijven, hij moest het aspiratieteken vinden, het teken voor de h dat de oude Grieken uitspraken hoewel het in hun alfabet helemaal niet voorkwam, maar hij kon het niet bedenken, in geen honderd jaar schiet het mij te binnen, omdat ik nooit luister als Kandlbinder, die dooie, staat te oreren. Hij kletst maar en hij kletst maar, maar we leren niets van hem.

'Daar sta je dan als een koe over het hek te staren,' zei de Rex, 'omdat je niet weet hoe de Grieken de h weergaven als ze die nodig hadden voor een beginklank. Je zou het moeten weten, want het is zo ongeveer het eerste wat jullie bij Grieks hebben geleerd. Maar jij hoeft niet op te letten, nietwaar? – Ach,' zei hij op geringschattende toon, alsof het de moeite niet meer loonde zich nog verder met Franz Kien te bemoeien, maar hij had het krijtje nog steeds in zijn hand en tekende er een halve cirkel mee boven de a, alleen deze keer boog die naar rechts. 'Kijk,' zei hij, 'het was maar een kleine logische stap voor je geweest om te concluderen dat de spiritus asper gewoon een omgekeerde lenis is.'

De holle frase 'een kleine logische stap' beschaamde Franz. Hij heeft gelijk, dacht hij, dat had ik kunnen bedenken, maar het overkomt me vaker dat ik juist de kleinste, simpelste conclusies over het hoofd zie, anderen zijn daar veel handiger in. Snel zette hij de asper ook nog op de losse 'hè' achter 'hède', 'chora' was makkelijk, eindelijk een woord in die vermaledijde zin dat gewoon met een medeklinker begon, zodat het voldoende was om boven de o een acutus te plaatsen – 'daar heb je geluk mee,' vond de Rex, 'vreemd eigenlijk, dat de Grieken de omega in "chora" kort uitspreken, zodat een acutus hier inderdaad voldoende is' –, nu bleef alleen nog het door de Rex gecorrigeerde 'epaineisthaî' over, er ging geen aspiratieteken vooraf aan de ε aan het begin, dus moest er een lenis staan, en omdat de Rex bij het voorzeggen de derde lettergreep had beklemtoond, moest daar boven, waarschijnlijk boven de ε van ει een acutus worden gezet. Klaar!

Maar de Rex schudde bedroefd zijn hoofd. 'Epaineisthai,' zei hij en hij bleef onnatuurlijk lang hangen bij 'ei', een schrille klank, alsof hij de e en de i uit elkaar trok. 'Daar hebben we een ander accentteken nodig,' zei hij, 'doe eens je best, misschien schiet het je te binnen!' Zuchtend veegde hij de acutus boven de ε weg en trok hij boven de ι een kaarsrechte golflijn.

'Weet je dan tenminste hoe dat teken heet?' vroeg hij.

Het heeft echt geen zin meer om nog te doen alsof ik nu toevallig net even niet op het antwoord op zijn vragen kan komen, dacht Franz. Hij perste er daarom een 'nee' uit, zacht, maar zonder aarzelen.

'Dat is de circumflex,' knikte de Rex, alsof hij allang wist dat Franz het teken niet zou kunnen benoemen. 'De accenten staan op de derde pagina van jullie grammatica. Jullie hebben ze allang bekeken. Dat is ook logisch – je komt met Grieks ook geen stap vooruit als je de accenttekens niet in je slaap kunt opzeggen.'

'Maar jij,' zei hij, 'je hebt alles gemist. Wat heb je eigenlijk gedaan toen jullie de accentregels behandelden? – Aletter' riep hij plotseling de klas in, 'kijk eens onder Kiens bank of daar niet zo'n vod van een Karl May ligt!'

Hugo lapt me erbij, die lafaard, dacht Franz. Die trekt zo *Door het woeste Koerdistan* onder mijn lessenaar vandaan, maar Hugo Aletter verried hem niet, hij boog zich over Franz' stoel, rommelde lang in zijn lessenaar en zei toen: 'Er liggen alleen een paar schriften, Herr Oberstudiendirektor.' Goed zo, dacht Franz, die Hugo deugt toch.

De Rex liet zich alweer afleiden door de zin op het bord, hij kon geen weerstand bieden aan de verleiding om hem Franz nog een keer van voren naar achteren met de juiste klemtonen voor te lezen; met klemtonen reciteerde hij hem terwijl zijn stem steeds omhoogging en weer zakte, 'ἔστιν ἀξία ἥδε ἡ χώρα ἐπαινεῖσθαι', klonk het en 'Ach!' riep hij uit, 'dat is de taal van Homerus en Sophocles; snap je nu waarom het Grieks zonder accenten ondenkbaar is, ze vormen de melodie van die taal, maken van de eenvoudigste zin nog een kunstwerk, begrijp je dat?'

'Ja,' antwoordde Franz zacht, want op dat moment begreep hij het werkelijk.

'Onvoorstelbaar,' zei de Rex, plotseling weer nuchter, cynisch haast, maar aan zijn stem was te horen dat hij zich gevleid voelde door het succes van zijn lesmethode. Als om zijn leerling te belonen dat hij het nu begreep haalde hij uit de kist die de schat van zijn kennis bevatte nog meer tevoorschijn en begon hij op de vrije ruimte op het bord een soort tabel op te schrijven. *Oxytonon*, las Franz en daaronder, in een kaarsrechte rij: *Paroxytonon, Proparoxytonon, Perispomenon, Properispomenon.*

'Al eens eerder gehoord?' vroeg de Rex. Hij wachtte het antwoord niet af en vervolgde: 'Natuurlijk heb je het al eens eerder gehoord, jullie leraar heeft jullie ongetwijfeld de woorden uitgelegd die de plaats van het accent in het woord bepalen. Alleen was je ook toen waarschijnlijk weer eens, laten we zeggen, geestelijk afwezig.'

In zijn goed leesbare, krachtige en onwrikbare handschrift voltooide hij de tabel. Hij tekende er zelfs een lijst omheen, die door twee kaarsrechte verticale lijnen in drie kolommen werd verdeeld. Franz las:

Oxytonon	acutus, gravis	laatste	lettergreep
Paroxytonon	acutus, gravis	voorlaatste	lettergreep
Proparoxytonon	acutus, gravis	drie na laatste	lettergreep
Perispomenon	circumflex	laatste	lettergreep
Properispomenon	circumflex	voorlaatste	lettergreep

'Schrijf over!' zei hij tegen de klas. Toen hij de schriften hoorde ritselen, zei hij tegen Franz: 'En jij, Kien, leg ze uit wat deze lijst betekent!'

Met de hand waarin hij het krijtje vasthield wees hij op het woord oxytonon.

'Een accentteken op de laatste lettergreep van een woord heet een oxytonon,' zei Franz. Hij zei het aarzelend, maar dacht: het is kinderlijk eenvoudig.

'Bravo,' zei de Rex. 'Dom ben je niet. Alleen maar lui. Quod erat demonstrandum. De volgende!'

Franz wilde net de paroxytonon gaan uitleggen, maar werd onderbroken door Kandlbinder. De vakman in de gepromoveerde leraar kon de lesmethoden van de Rex niet langer in stilte aanhoren.

'Maar Herr Direktor,' begon hij weer, net als voorheen, zij het deze keer niet ontsteld of zelfs maar beledigd, maar zichzelf dwingend zachtmoedig en beleefd te zijn, alsof hij de Rex alleen maar wilde bijvallen en helpen, 'maar Herr Direktor, met de ultima-, paenultima en antepaenultima-rijtjes geef je geen accenten, maar alleen hele woorden aan! Niet het accent wordt oxytonon genoemd, maar het hele woord waarbij de acutus of de gravis op de laatste lettergreep wordt geplaatst.'

De Rex luisterde sprakeloos naar zijn woorden. Toen gebeurde wat Franz, de hele klas en zeker ook Kandlbinder nooit van hem hadden verwacht: hij verloor zijn zelfbeheersing.

'Houdt u uw mond!' siste hij tegen de leraar, en nog een keer: 'Houdt u uw mond, Herr Kandlbinder!' Hij laat nu zelfs zijn titel weg, dacht Franz, hij is zo woedend dat hij Kandlbinder nu alleen nog met 'Herr' aanspreekt. Hij zet hem voor schut. En dat allemaal vanwege mij! Wat slecht van mij dat het me niets kan schelen dat de Rex Kandlbinder voor de hele klas zo voor schut zet.

'Ik roep een leerling uit uw klas naar voren,' riep de Rex woedend, 'en wat blijkt? Hij heeft niet eens de simpelste regels van het Grieks opgepikt. Sinds Pasen, sinds zes weken permitteert hij het zich om de lessen te laten versloffen en u,' zijn stem klonk als aanzwellend onweer, 'en u hebt het niet eens gemerkt. Niets hebt u ervan gemerkt, ontkent u het maar niet, anders had u hem wel laten nablijven tot hij scheel zag, of u had hem naar mij moeten sturen en eerlijk en openhartig tegen mij moeten zeggen: met Kien lukt het me niet. Want het door en door scandaleuze aan deze Kien is niet dat hij een luiwammes is die zijn gelijke niet kent, luiwammesen van zijn soort vind je in elke klas, maar dat hij zich tot op de dag van vandaag in uw klas heeft kunnen handhaven. Ts, ts, ts! En dan waagt u het mij te onderbreken als ik hem aan de tand voel en als ik zoals daarnet er bij hem een paar vuistregels probeer in te stampen waarmee hij zijn achterstand een beetje kan inlopen als hij dat wil. – Hoewel het natuurlijk al te laat is, omdat u, Herr Doktor, al zes weken niet goed op hem hebt gelet.'

Dat hij hem weer aansprak met 'Herr Doktor' gaf aan dat hij zijn zelfbeheersing hervonden had.

'Ja, stampen,' zei hij. Hij liet Kandlbinder met rust en verviel in een monoloog. 'Op het gymnasium in Freising heeft men bij ons de oxytona en de perispomena er vanaf het begin genadeloos ingestampt. Zonder spitsvondig onderscheid te maken tussen woorden en accenten. Een accent op de laatste lettergreep – dat noemden we een oxytonon, een circumflex op de voorlaatste een properis-

pomenon, zo hebben wij het geleerd op het Aarts-
bisschoppelijk Gymnasium in Freising, en het was
goed, omdat het eenvoudig was. Je hoeft maar een
woord als 'anthropos' te horen en je zegt bij jezelf:
aha, proparoxytonon, en je zet de acutus op de op
drie na laatste lettergreep.'

Ja, natuurlijk, ah – oho, dacht Franz, dat zou ik
ook doen als het mij werd voorgezegd en ik nog
nooit van dat oxytonon-enzovoorts-gemeier had
gehoord. Het is niet zo eenvoudig, het is eigenlijk
heel ingewikkeld dat ik eerst aan een oxytonon
moet denken alvorens een acutus te plaatsen. Hij
wachtte tot Kandlbinder de Rex met dat argument
zou tegenspreken, maar zijn leraar was verpletterd,
niet van de inzake de leer van de klemtonen hoogst
aanvechtbare argumenten van de Rex, maar – daarover bestond geen enkele twijfel – door de aan-
klacht dat hij, waar het Kien betrof, in pedagogisch
opzicht volledig zou hebben gefaald; omdat hij op
deze manier voor de hele klas was terechtgewezen
was hij met stomheid geslagen; hij weet dat deze
affaire in de kamer van de rector of later bij de le-
rarenvergadering nog een staartje zal krijgen, mijn
hemel, dacht Franz, die heb ik behoorlijk in de pro-
blemen gebracht!

Alsof hij hun leraar toch nog een beetje wilde vrijpleiten wees de Rex nog eens naar het boek op de lessenaar en zei: 'De grammatica die jullie gebruiken is niet eenvoudig genoeg. Als ik geen betere kan vinden, zal ik zelf een simpelere voor jullie schrijven.'

Plotseling richtte hij zich weer tot Franz Kien.

'Probeer die accentregels eens op te zeggen!' droeg hij hem op. 'Maar uit je hoofd! Zonder op het bord te kijken!'

'Oxytonon,' begon Franz, langzaam eerst, maar allengs vlotter. 'Paroxytonon, proparoxytenon, perispomenon, properispomenon.' Hij stond er zelf versteld van, hoe heb ik het voor elkaar gekregen, dacht hij, waarschijnlijk omdat dat rijtje woorden me bevalt. Er zit logica in en het klinkt goed.

'Kijk eens aan,' zei de Rex, zonder verbazing te tonen maar duidelijk tevreden, hij liet merken dat hij wist wat er zou gebeuren, hij betoont zich weer even de oude vakman, dacht Franz, de Socrates-vereerder, de lezer van Homerus en Sophocles, hij denkt dat hij heeft bewezen dat hij mij in vijf minuten de Griekse accentregels heeft geleerd omdat ik zijn schema op commando kan opdreunen als een melodie, een kunstwerk, daar heeft hij wel gelijk in, terwijl Kandlbinder ons alleen maar laat stampen, maar als Grieks me interesseerde zou ik het liever volgens de methode van Kandlbinder leren. Door na te denken.

De Rex was zo tactvol om geen triomfantelijke blik op Kandlbinder te werpen. In plaats daarvan ging hij vlak voor Franz staan, reikte zelfs met zijn rechterhand naar de revers van zijn jasje en praatte zo zacht tegen hem dat het leek alsof hij fluisterde, maar de hele klas hoort hem toch fluisteren, dacht Franz, wat een druktemaker, zo zacht kan hij helemaal niet praten, dat niemand het hoort.

'Weet je wat intelligente leerlingen doen die geen zin hebben om te leren?' vroeg de Rex. Hij deed alsof hij Franz een geheim wilde verklappen.

Franz was zo overrompeld door de plotselinge nabijheid van de Rex, door de vertrouwelijkheid van een man die al die tijd had geprobeerd hem af te maken, niets minder dan afmaken, dat hij niet eens in staat was om iets van vriendelijke nieuwsgierigheid in zijn blik te leggen. Hij voelde alleen dat hij met zijn jasje aan de arm van die machtige man hing en dat beviel hem niet.

'Die leren uit hun hoofd,' siste de Rex. Hij deed alsof hij Franz in vertrouwen nam. 'Als je de zin die ik er net bij je heb ingestampt thuis uit je hoofd geleerd had, had je mij een rad voor ogen kunnen draaien. Jawel – zelfs mij! Misschien was ik er nooit achter gekomen dat je hem niet begreep, en dat had je niet meer gekost dan drie minuten van je kostbare tijd. Drie minuten en je had dat hele "estin axia" kunnen opdreunen alsof het niets was.'

Even snel als hij op Franz af gekomen was nam hij weer afstand. Ik mag hem niet, dacht Franz, en hij heeft het gemerkt. Als ik toch eens wist waarom ik hem niet mag! Hij ruikt niet onaangenaam, heeft geen slechte adem, hij ruikt fris geschoren, maar die buik bevalt me niet, die buik met dat witte hemd eroverheen waarmee hij mij heeft aangeraakt.

Waarom kwam hij eigenlijk zo dicht bij mij staan? Van het ene moment op het andere wilde hij me niet meer genadeloos overhoren, maar deed hij alsof hij me een tip wilde geven. Maar ik ben er niet ingestonken, zoals een paar weken geleden op de toiletten. Omdat ik er deze keer niet ingestonken ben is hij nu kwaad.

Voor de eerste en tot op heden enige keer was Franz de rector in de toiletten van de school tegen het lijf gelopen. Franz was in de pauze naar het toilet gegaan en juist nadat hij zijn grote boodschap had gedaan en weer de ruimte met pissoirs betrad, kwam de Rex binnen. Dat was vreemd, Franz had nooit eerder gezien dat een leraar in de pauze gebruikmaakte van de leerlingentoiletten, als zoiets gebeurde moest er wel sprake zijn van hoge nood die wetten brak, maar de Rex had zo te zien helemaal geen haast, hij leek de wc's alleen maar te willen inspecteren, zoals hij nu de derde klassen inspecteerde en hij was precies zoals hij het vandaag had gedaan voor Franz gaan staan, had hem met vriendelijke blauwe goudomrande ogen aangekeken, zó vriendelijk dat Franz hem niet alleen eerbiedig volgens de voorschriften groette, maar ook nog verwachtingsvol toelachte, ik leek vast een idioot, dacht Franz, omdat ik ervan uitging dat de Rex op deze plek, en omdat hij me zo vriendelijk aankeek, iets grappigs zou zeggen en dat grappige kwam ook, klonk op van nabij, zakelijk en op fluistertoon maar niettemin zo duidelijk dat ook de andere leerlingen in de pissoirruimte het duidelijk konden horen: 'Je gulp staat nog open, Kien. Fatsoeneer je kleding!'

En hij wist mijn naam, hoewel ik nooit iets met hem te maken had gehad. Zomaar, gewoon zomaar.

Maar vandaag is de Rex er niet in geslaagd mij te laten blozen zoals toen, toen hij voor de eerste keer te dicht bij mij kwam staan. Ik kan hem achteraf niets verwijten, het was correct van hem om mij op mijn openstaande gulp te wijzen, hoewel het misschien beter was geweest als Hugo of een van de anderen grijnzend een ordinaire grap had gemaakt. Dat zou minder pijnlijk zijn geweest dan die blikken van de Rex.

Vandaag zou ik het liefst tegen hem hebben gezegd: Haal die witte buik van mijn jasje! Zou, dacht Franz. Helaas ben ik niet Konrad Greiff. Die had het hem toegesnauwd.

En nu heeft hij gemerkt dat dat dichtbij komen van hem, zijn gefluister bij de wc's, zijn ik-zal-je-een-geheimpje-verklappen, zijn advies van likmevestje om uit het hoofd te leren, dat dat allemaal geen zier heeft geholpen, niet bij mij, dat ik zijn adviezen niet aanneem omdat ik geen intelligente leerling wil zijn, maar helemaal geen leerling – maar wat wil ik dan? Godsakkerloot, ik weet het niet, later zal ik het weten, later weet ik meer dan ze me hier kunnen bijbrengen in dit zweethok, die stupide leraar en zijn volgevreten directeur, spelend zal ik het leren, nou ja, flauwekul, ik maak mezelf maar wat wijs, ik verspil jaren als ik niet op mijn kont ga zitten buffelen, nu, meteen...

'Ga onmiddellijk terug naar je plaats!' zei de Rex, maar Franz wist meteen dat hij zich niet kon veroorloven opgelucht te zijn; om in te zien dat het drama nog niet was uitgespeeld had hij niet eens zijn buurman Hugo Aletter nodig, die met samengeknepen lippen en hoofdschuddend bezorgd zat te mompelen.

'Je had hem niet zo duidelijk moeten laten merken dat je hem niet kunt uitstaan,' zou Hugo een paar dagen later tegen hem zeggen op een van de laatste dagen die Franz nog doorbracht op het Wittelsbacher Gymnasium. Hugo was nu eenmaal een streber, en Franz zou zijn schouders ophalen om die wijze woorden – wat kon hij eraan doen dat hij de oude Himmler niet mocht.

Die stapte van het podium af en stond nu op gelijke hoogte met de klas. In de vrije ruimte voor de eerste rij beende hij een poosje heen en weer, zwijgend, met zijn armen op zijn rug, de poseur, dacht Franz, toen bleef hij staan, keek de leraar aan en vroeg: 'Wat stelt u voor, Herr Doktor?'

Kandlbinder verliet eindelijk zijn plek bij de deur en kwam twee stappen dichterbij. 'Bijles,' zei hij.

De Rex haalde zijn armen weer tevoorschijn, stak ze omhoog en maakte een wegwerpgebaar ten teken dat dit volgens hem uitgesloten was. Toen zei hij iets wat Franz' wangen nog een keer deden gloeien.

'Bijles is duur,' zei de Rex. 'Dat kan zijn vader niet betalen. Denkt u zich toch eens in; zijn vader kan zelfs het schoolgeld niet betalen. We hebben Kien op verzoek van zijn vader vrijstelling van het betalen van schoolgeld gegeven.'

De hond, dacht Franz, de gemene hond! Bekendmaken dat mijn vader die negentig mark schoolgeld per maand niet kan opbrengen! Honderdtachtig mark, omdat hij ook voor Karl het geld dat dit zweethok kost niet meer kan opbrengen sinds hij zo ziek is en bijna niets meer verdient. De smeerlap, dacht Franz, wat een lef om voor de klas te gaan staan en rond te bazuinen dat wij arm zijn geworden, een smeerlap is het, die Socratesvereerder, een schoft, maar wat maakt het uit, laat ze maar weten dat de Kiens arm zijn geworden, kan mij het schelen, en zijn wangen herkregen hun natuurlijke kleur, al dacht hij nog steeds: wat een hond! Zelfs wat volgde bracht hem niet meer uit zijn evenwicht, hij hoorde gelaten de woorden aan die de Rex nog altijd schijnbaar alleen tegen Kandlbinder sprak.

'We hebben Kien op verzoek van zijn vader vrijgesteld van schoolgeld, hoewel we daar volgens de bepalingen helemaal niet het recht toe hadden. Vrijstelling van schoolgeld mag alleen aan voortreffelijke leerlingen worden verleend. Maar ik' – 'ik' zegt hij nu, dacht Franz –, 'ik meende voor de zoon van een met hoge onderscheidingen voor moed gedecoreerde officier, die waarschijnlijk buiten zijn schuld in zakelijke nood is geraakt' – dat 'waarschijnlijk' is goed, dacht Franz, mijn ouweheer was maar reserveofficier en daarom krijgt hij geen pensioen –, 'ik meende,' ging de Rex verder, 'voor een dergelijke leerling een uitzondering te kunnen maken. En wat geeft hij de school en zijn arme vader daarvoor terug?'

Hij hield even in alvorens er een streep onder te trekken, en Franz was nu zo ver dat hij hem kil bleef aankijken.

'Ik heb hem zelfs laten overgaan naar de derde,' zei de Rex. 'Met een vijf voor wiskunde en een vier voor Latijn. Dat was een grote vergissing – ik neem het mijzelf kwalijk. Hij is in de eerste toch ook met hangen en wurgen overgegaan. Zijn prestaties met Latijn gingen elk jaar hard achteruit. En nu blijkt dat hem met Grieks hetzelfde voor ogen staat: een leerling die zich inbeeldt dat hij is vrijgesteld van deelname aan de hoofdvakken!'

Hij liep weer heen en weer, van de koude, neutrale muur met de twee deuren naar de ramen waarachter het groen van het voorjaar schemerde, en weer terug.

'Nee,' zei hij tegen Kandlbinder, die bleef zwijgen. 'Dat gaat niet. Dat gaat gewoon niet. Zegt u zelf: moeten wij hem hier nog het hele jaar laten zitten, tot vast komt te staan dat hij ook voor Grieks een vijf haalt, een vijf, en niets meer?'

Hij stelde de vraag niet om een antwoord te krijgen, kreeg uiteraard ook geen antwoord, Kandlbinder bleef stokstijf staan en zweeg, zijn hoofd een beetje opzij, nu hoeft de Rex ook niet meer te zeggen dat hij mijn vader zal schrijven, dacht Franz, zoals hij Greiffs vader zal schrijven, het is nu wel duidelijk dat ik eruit gegooid ben, dat ik nog maar een paar dagen naar deze gevangenis hoef te komen, het Wittelsbacher Gymnasium, mensenkinderen, dacht hij ineens, ik hoef die lange, vervelende weg niet meer af te leggen, van Neuhausen naar de Marsplatz, de Juta- en de Alfonsstrasse, de Nymphenburgerstrasse en de Blutenburgerstrasse door tot aan de kazerne- en de brouwersbuurt, om het Marsplatz heen, allemaal saaie straten waar ik dag in dag uit langs kom, dat is voorbij, alleen voor mijn vader spijt het me, hij zal er kapot van zijn als hij het hoort.

De Rex bleef staan. Deze keer keek hij niet naar Kandlbinder, maar naar Franz.

'Je broer Karl is er ook zo een,' zei hij. 'Hoe die de vijfde heeft gehaald is me een raadsel. Ik heb mij zijn laatste huiswerk laten brengen. Niets dan fouten! In een net handschrift, dat wel – daarmee haalt hij zijn examen nooit. Daar zal ik voor zorgen.'

Dat zal toch niet, dacht Franz, dat hij Karl ook nog van school trapt! Twee zonen in één keer! Dat overleeft vader niet. Dat heeft hem op de been gehouden, de hoop dat wij naar de universiteit zouden gaan.

Onverwacht liet de Rex af de formele en dreigende toon waarop hij had gesproken varen. 'Hoe gaat het eigenlijk met je vader?' vroeg hij. Franz was verbijsterd. Wat een lef, dacht hij, eerst Karl en mij van school trappen, mijn vader voor de hele klas vernederen vanwege dat schoolgeld en dan informeren hoe het met hem gaat! De schijnheilige lomperik!

'Slecht,' antwoordde Franz narrig. 'Hij is ziek. Al heel lang.'

'O,' zei de Rex, 'dat spijt me. Dan zal hij het niet prettig vinden te moeten horen dat zijn zonen niet geschikt zijn voor het hoger onderwijs.'

Dus ook nu niets meer dan een koude douche! Een beetje spijt, maar alleen om te benadrukken dat de ziekte van zijn vader niets kon veranderen aan het lot van zijn beide zonen.

Vreemd genoeg nam zijn vader het slechte nieuws niet zo zwaar op als Franz had gevreesd. Hij werd niet woedend, zoals die keren dat Franz weer met zijn treurig stemmende rapporten was thuisgekomen. Franz had zich voorgenomen hem zelf het nieuws over te brengen dat hij van school zou worden getrapt, hij wilde niet dat zijn vader het door een brief van de rector te weten kwam. Misschien bleef vader zo stil omdat hij na het avondeten op de sofa was gaan liggen, hij was zichzelf in die tijd al morfine gaan toedienen, met toestemming van de doktoren van het Schwabinger Ziekenhuis, tegen de pijn in zijn rechtervoet, tegen de brandende pijn in zijn tenen, ze moesten geamputeerd worden, de grote teen van zijn rechtervoet was al zwart geworden, zijn vader lag wit weggetrokken op de sofa, zijn vurigheid was al lang gedoofd, hij was niet meer die man met gloeiende wangen onder dat zwarte haar.

De sofa stond met het hoofdeinde tegen het raam, waarachter de nacht al was ingevallen, een lamp met een groene zijden kap verlichtte de inmiddels afgeruimde eettafel, Franz' moeder had een gladde houten werkplank op tafel gelegd en kneedde deeg dat ze uit een grote aardewerken kom pakte. Franz keek toe, hij keek graag naar zijn moeder als ze deeg kneedde. Zijn broer Karl had zonder een woord te zeggen geluisterd, tot Franz klaar was met zijn verhaal over school, dat ook over hem ging, was toen aan de piano gaan zitten om, net als elke avond de laatste weken, een Impromptu van Schubert te pingelen. Het lukte niet erg, maar Franz vond het toch mooie muziek; tijdens een van de pauzes die hij liet vallen zei zijn vader: 'Dat hij vroeg hoe het me ging – dat deed hij alleen maar omdat ik het IJzeren Kruis i heb.'

Het zou kunnen, overwoog Franz, de verbindingstroepen deden het allemaal in hun broek voor de fronttroepen, ze waren bang dat de frontsoldaten nog een keer met ze zouden afrekenen, daarom deden ze alsof ze hun beste vrienden waren en vroegen ze hoe het met ze ging. Er zat iets in, hoewel er aan de andere kant ongetwijfeld ook jaloezie in het spel was, de Rex was ongetwijfeld jaloers op het IJzeren Kruis I van zijn vader. Maar wat daarna kwam kon Franz nauwelijks geloven.

'Bovendien,' zei vader, 'wil de oude Himmler mij te vriend houden, omdat hij weet dat zijn zoon een van mijn kameraden bij de bond van de Reichsflagge is.'

Nu vergist vader zich deerlijk, dacht Franz. Als de Rex werkelijk denkt dat mijn ouweheer een goede verstandhouding heeft met zijn zoon, de jonge Himmler, zal hij vader alleen daarom al niet mogen.

Zijn moeder mengde zich in het gesprek. Ze had het deeg met de roller zo dun uitgerold dat ze het met een scherp mes in repen kon snijden.

'Bestaat er eigenlijk een mevrouw Himmler?' vroeg ze. 'Ik bedoel, als er een mevrouw Himmler bestond, dan zou die er toch voor moeten zorgen dat haar man en hun kind met elkaar overweg kunnen.'

Franz senior liet haar vraag onbeantwoord, hij sloot zijn ogen, vanwege de pijn, of omdat hij in slaap was gevallen, dat kon Franz niet zien, misschien deed zijn vader maar alsof omdat hij haar vraag niet wilde beantwoorden.

Hijzelf beantwoordde de vraag van zijn moeder.

'De oude Himmler draagt een brede gouden trouwring,' zei hij tegen haar, waarbij de gedachte in hem opkwam dat die trouwring van de Rex wellicht deel uitmaakte van de vermomming waarin de grote pedagoog zich hulde, een masker dat hij zijn hele leven droeg.

Jammer dat zijn vader al sliep. Hij had hem graag nog verteld hoe hij zich voelde toen die middag de schoolbel luidde. De Rex was onmiddellijk de klas uit gelopen omdat hij niet in de genadeloze stroom jongerejaars terecht wilde komen, hij gaf de leerlingen en Kandlbinder een afgemeten knikje, opnieuw ging de deur van de klas voor hem open zonder dat hij die hoefde aan te raken. Franz pakte zijn boeken en schriften, net als de anderen, en stopte ze in zijn versleten leren schooltas, de anderen stonden schreeuwend om hem heen, maar niemand zei iets tegen hem, hoewel ze ook niet onaardig tegen hem deden, het leek alleen alsof ze wegkeken wanneer hun blikken elkaar toevallig kruisten. Wisselde Konrad Greiff een blik van verstandhouding met hem? Franz wist het niet zeker; alleen Kandlbinder keek hem onafgebroken en verwijtend aan zolang hij nog in de klas was, Franz stoof naar buiten, buiten was het warm, de zon bescheen de saaie straten, op weg naar huis voegde niet één leerling zich bij hem, maar de middag verliep als alle middagen, hij speelde trefbal op het Lacherschmiedveld, van degenen die meededen ging niemand naar het Wittelsbacher Gymnasium, Franz speelde slecht, hij voelde zich slap omdat hij aan het gesprek dacht dat hij 's avonds met zijn vader moest voeren.

In plaats van het gerinkel van de schoolbel hoorde hij nu alleen nog het gepingel van zijn broer, maar die stopte al snel met spelen. Franz' kleine broertje – hij was acht jaar jonger dan Franz – lag al in het bed dat tegenover dat van Franz stond. Bij het licht van zijn zaklantaarn las Franz nog een tijdje in *Door het woeste Koerdistan*, zijn hoofd steunend op zijn rechterarm. Toen deed hij het licht uit en legde hij zijn hoofd op zijn kussen.

Perispomenon, dacht hij, properispomenon. Toen viel hij in slaap.

Nawoord

1

Waarom verzon ik voor vijf verhalen – het onderhavige verhaal is het zesde – waarin ik situaties en gebeurtenissen uit mijn leven beschrijf en vertel een personage, Franz Kien genaamd, dat meemaakt wat in die verhalen wordt beschreven en verteld? Heb ik niet al een paar keer ronduit verklaard dat in de Franz Kienverhalen herinneringen aan mijzelf zijn opgetekend, dat het een poging betreft om een autobiografie in vertellingen te schrijven? Franz Kien ben ik zelf – maar als dat zo is, waarom bedien ik mij dan van hem, in plaats van eenvoudigweg *ik* te zeggen? Waarom schrijf ik over mijzelf in de derde persoon en niet in de eerste? *Ik* was het toch en niemand anders, die door de oude Himmler werd getest op mijn kennis van het Grieks en vanwege de beschamende uitkomst van die test van het humanistische gymnasium werd verwijderd – waarom, voor de duivel, houd ik dan een masker voor mijn gezicht, dat van Kien, een naam, niets meer?

Ik heb daar geen antwoord op. Omdat ik voor fijnzinnigheden even allergisch ben als de scholier Franz Kien (mijn andere ik) voor de holle Socrates- en Sophoclestirades van zijn Oberstudiendirektor, sta ik mijzelf vooral niet toe het excuus te gebruiken dat Franz Kien zijn bestaan dankt aan mijn wens om een zekere mate van discretie te betrachten. Het allerpersoonlijkste – zo zou de auteur kunnen denken – verliest iets van het pijnlijke karakter van een biecht als het wordt toegeschreven aan een derde persoon, hoe doorzichtig diens vermomming ook is. Maar juist het tegendeel is het geval. Juist het vertellen in de derde persoon stelt de auteur in staat om zo eerlijk te zijn als maar mogelijk is. Het helpt hem remmingen te overwinnen waarvan hij zich maar nauwelijks kan bevrijden als hij *ik* schrijft. Dat een of andere hij (zoals Franz Kien in *Alte Peripherie*) zijn aan zijn vrienden gegeven woord breekt is toch iets makkelijker op te schrijven dan de plompe bekentenis 'ik heb mijn kameraden in de steek gelaten'. Zo is althans een schrijver geneigd te denken. Dat hij discreet wil zijn behoort tenslotte tot zijn betere eigenschappen en de meeste van zijn lezers delen die wens; ze hebben genoeg van schrijvers die met de deur in huis vallen, maar aan de andere kant laten autobiografieën niet toe dat de schrijver afstand houdt, het is geen verstoppertje spelen en bovendien helpt het mij niets, niemand zal denken dat Franz Kien Franz Kien is. Een gril, zal men geërgerd of begripvol zeggen – maar een die niet rechtvaardigt dat de bedenker daarvan het niet over zichzelf heeft.

Nog vreemder wordt de gekozen vertelstijl voor mijzelf wanneer ik besef dat ik voor andere autobiografische teksten zonder aarzelen de eerste persoon enkelvoud heb gebruikt. *Die Kirschen der Freiheit* en *Der Seesack* zijn memoires. Aan de andere kant heb ik een roman in de ik-vorm geschreven, *Efraim*, maar in tegenstelling tot Franz Kien ben ik Efraim niet, is hij zelfs heel anders dan ik – ik meld dat hier nadrukkelijk. Overigens eindigt dat boek met de bewering dat van alle maskers het ik misschien wel de beste vermomming is. Zo paradoxaal gaat het eraan toe in de werkplaats van een schrijver.

Ik vermoed echter – en dat is de enige hypothese over het bestaan van Franz Kien die ik mijzelf permitteer – dat mijn voornemen mijn leven in ver-

tellingen te memoreren me een streek heeft gele-
verd. Het is de vorm zelf die mij niet dwingt, maar
toch tenminste aanraadt om mij van Franz Kien te
bedienen. Het staat me een bepaalde vrijheid van
vertellen toe die het ik, die tirannieke vorm van de
verbuiging van het werkwoord, niet toestaat. Ik zie
– dat geeft geen ruimte iets anders te zien dan ik
zie, zag of zal zien, waar het gebruik van 'hij' het
blikveld niet zo rigoureus inperkt. Ik heb het hier
niet over gebeurtenissen die zich in het innerlijk
van Franz Kien afspelen, niet over de rol van de
fantasie in de tekst – die mochten van mijn eigen
overwegingen en mijn eigen fantasieën geen haar-
breed afwijken – maar alleen over de decorstukken
die ik op het toneel van mijn herinneringen plaats
waarop ik hem laat ageren. Om een voorbeeld te
geven: de Konrad von Greiff-episode in *De vader
van een moordenaar* speelde zich niet af tijdens
het in dit verhaal geschetste lesuur Grieks, maar
bij een andere gelegenheid. (Aan gelegenheden
om aanpassingen door te voeren heeft het in het
drama van de strenge Duitse school nooit ontbro-
ken.) Wordt de vertelling, nu ik deze kaart op tafel
leg, ongeloofwaardig, vals naar de maatstaven van
de autobiografie? Ik geloof van niet. Ze lijkt mij er

juist authentieker door te zijn geworden. De autobiografie dient 'slechts' authentiek te zijn – binnen
de grenzen die deze eis stelt mag zij doen en laten
wat zij wil. Wat ik daarmee bedoel? Als ik beweerde
het geval van de trotse adellijke scholier zelf in dat
uur te hebben bijgewoond, dan had ik – nou ja, niet
echt gelogen, maar toch de waarheid geweld aangedaan. Zelfs een zo onschuldig genoegen stond ik
mijzelf niet toe. Kien zou daarentegen getuige van
het voorval geweest kunnen zijn. Het Wittelsbacher Gymnasium van 1928 wordt in een vertelling
inzichtelijker gemaakt dan met het strenge ik van
de pure autobiografie het geval zou zijn geweest.
De vorm van de vertelling staat op gespannen voet
met de geest van de levensbeschrijving.

Iets onafs kleeft dit soort teksten aan – ik geef het
toe. Dat was zelfs mijn intentie.

Wat betreft Franz Kien – tot hier. Hij is mijn trou-
we metgezel.

2

Mijn schoolrapporten zijn de enige persoonlijke
documenten uit mijn kindertijd en jeugd die de

Tweede Wereldoorlog hebben doorstaan. De Ober-studiendirektor van het Wittelsbacher Gymnasium ondertekende ze met 'Himmler'. Geen voornaam – en ik mag geen voornaam voor hem verzinnen. Een enkele mededeling over hem heb ik verzonnen. Ik laat hem beweren dat hij zelf het Aartsbisschoppe-lijk Gymnasium in Freising heeft bezocht. Dat een man als hij op een kaderschool van het Beierse ul-tramontanisme is gevormd staat voor mij buiten kijf – hij zou ook een product van Ettal, Andechs of Regensburg kunnen zijn geweest; dat maakt nage-noeg geen verschil. Van het vermelden van andere mij bekende en vaststaande feiten over zijn per-soon heb ik daarentegen afgezien, bijvoorbeeld van het feit dat hij zich later, toen zijn zoon de op een na machtigste man van het Duitse Rijk was geworden, met hem heeft verzoend. Een erewacht van de SS vuurde boven zijn kist saluutschoten af. Misschien gebeurde dat tegen zijn wil? Misschien heeft de ou-de Himmler zijn zoon nog vervloekt op zijn sterf-bed? Zo onomstotelijk staat dergelijke aanvullende informatie nu ook weer niet vast. Franz kan ze niet vermelden omdat hij over de Rex niet meer weet dan wat zijn vader over hem heeft verteld en wat hij tijdens dat lesuur Grieks en vervolgens tijdens een korte ontmoeting op de toiletten heeft gezien en gehoord. Een blik in de toekomst, schrijftechnisch als zogenaamde vooruitblik zonder meer uitvoerbaar, zou het karakter van een strikt autobiografische herinnering volledig verstoren; daarin mogen de Rex en Kien (mijn andere ik) niet meer zijn dan de personen die ze op een zekere dag in mei 1928 waren. Alleen zo blijven ze, en met hen het verhaal, open. De verteller wist op een bepaalde dag in mei in 1928 niet wat er van hem zou worden, laat staan van rector Himmler, en de auteur hoopt dat ook zijn lezers de voorkeur geven aan een open vertelling boven een gesloten vertelling. Vertellingen hoor je niet af te handelen als documenten – als een koopakte of een testament.

Alleen de titel projecteert de lezers naar de toekomst, want die legt een onomstotelijke waarheid vast, namelijk dat Himmler de vader van een moordenaar was. De omschrijving moordenaar is voor Heinrich Himmler te mild; hij was niet een of andere zwendelaar, maar, voor zover mijn historische kennis reikt, de grootste vernietiger van mensenlevens die ooit heeft bestaan. Maar de titel die ik voor deze vertelling heb gekozen boekstaaft slechts een historisch feit, hij heeft niet de pretentie de private, persoonlijke waarheid over deze mens, de Rex, vast te leggen. Was de oude Himmler voorbestemd om de vader van de jonge Himmler te worden? Moest uit een dergelijke vader uit 'een natuurlijke noodzaak', dat wil zeggen volgens begrijpelijke psychologische regels, volgens de wetten van de strijd tussen opeenvolgende generaties en de paradoxale gevolgen van familietradities, een dergelijke zoon geboren worden? Waren beiden, vader en zoon, producten van een bepaald milieu en een bepaalde politieke situatie of juist slachtoffers van het noodlot, dat, zoals bekend, onafwendbaar is – de door ons Duitsers meest geliefde voorstelling van zaken? Ik geef toe dat ik op zulke vragen geen antwoorden weet, ik ga zelfs nog verder en verklaar met de grootst mogelijke nadruk dat ik deze geschiedenis uit mijn jeugd nooit zou hebben verteld als ik precies wist hoe de onmens en de directeur zich precies met elkaar verhielden. Of ze elkaar wel of niet hebben bepaald. Dan zouden ze me niet hebben geïnteresseerd. De belangstelling die mij ertoe brengt om met een potlood voor een leeg vel papier te gaan zitten wordt, alvorens ik begin te schrijven, uitsluitend gewekt door de aanblik van open personages, niet door hen van wie ik alles al tot in detail weet. En het liefst zijn mij de mensen die open en raadselachtig blijven, ook als ik allang met schrijven ben gestopt.

Meer kan ik over de inhoud van mijn vertelling niet zeggen. Dit fragment van een commentaar wordt alleen maar hier afgedrukt om de allerergste misvatting uit te sluiten; niemand mag zelfs maar kunnen denken dat ik met *De vader van een moordenaar* de voorvaderen van Himmler heb willen veroordelen, al doet Franz Kien dat in zekere zin wel, door begrip voor de zoon op te brengen – die hij niet kent – inzake diens houding ten opzichte van zijn vader, die hij verafschuwt.

Opgemerkt zij nog, wat het overdenken waard is, dat Heinrich Himmler – daarvoor levert mijn herinnering het bewijs – niet als de man door wie hij zich heeft laten hypnotiseren opgroeide in het lompenproletariaat, maar in een familie uit het oude, van verfijnd humanisme doordrenkte burgerdom. Beschermt het humanisme ons dan tegen helemaal niets? Die vraag is bij uitstek geschikt om iemand tot diepe vertwijfeling te brengen.

Ik heb mij daaruit weten te redden door te proberen de geschiedenis te beschrijven van een jongen die niet wil leren. En zelfs in dat opzicht is het verhaal niet eenduidig – er zullen lezers zijn die in de botsing tussen de Rex en Franz Kien de kant van de directeur van het gymnasium zullen kiezen. Ikzelf echter – men neme het mij niet kwalijk – sta aan mijn eigen kant.

3

De vertelwijze die voor *De vader van een moordenaar* is gebruikt is zo eenvoudig als maar kan, namelijk volledig lineair. Verteld wordt wat zich van de eerste tot de laatste minuut tijdens een les heeft afgespeeld; verder beperkt het verhaal zich tot één enkele terugblik (datgene wat Kien senior zijn zoon over de Rex heeft verteld) en één enkele vooruitblik (het portret van het gezin aan het slot).

Stukgelopen ben ik op het probleem van de vertelniveaus. In dit verhaal zijn het er drie. De eerste is dat van de schrijver, van mijzelf dus; hij komt aan bod in zulke eenvoudige formuleringen als 'dacht Franz Kien'. Zelfs een zo klein deel van een zin als dit veronderstelt iemand die weet wat Franz Kien dacht. Het tweede, meest omvangrijke niveau behoort toe aan Franz Kien zelf; hij is niet alleen degene die de handeling draagt, maar ook degene die erop reflecteert. Ten slotte is er nog sprake van een derde instantie: een collectieve – de klas. Deze drie vertelniveaus zo over elkaar heen leggen dat ze overal aansluiten is mij niet gelukt; en ik vermoed dat een dergelijke poging ook niet zou kunnen slagen, behalve wanneer men totaal andere technieken gebruikt om de vertelde inhoud weer te geven.

Waarom hebt u dat dan niet gedaan? zal men mij vragen. Ja, waarom niet? Omdat de lineaire methode, ondanks haar onvolkomenheden, mij in dit geval de juiste leek. Een klas met leraren – dat beeld weer oppoetsen, dat trok mij aan.

Kandlbinder en de Rex mochten geen eigen vertelniveaus toebedeeld krijgen. Zij zijn puur objecten van beschouwing, wat ze het kleine voordeel verschaft dat sommige lezers zouden kunnen denken dat hun grof onrecht wordt aangedaan. Ik deel die overtuiging niet, maar geef toe dat ik ook na vijftig jaar nog dezelfde mening ben toegedaan. Vertellen, herinneren is altijd subjectief, maar onwaar is het daarom niet.

De juiste weergave van het denken en spreken van Kien en zijn medeleerlingen was de zwaarste opgave bij het schrijven van deze tekst. Die moest zich bedienen van de woorden en het taalgebruik van Beierse scholieren in de late jaren twintig, en die geloofwaardig, niet als toegevoegde uitroeptekens in het proza, overbrengen. Omdat ik in München geboren en opgegroeid ben en dientengevolge Beiers spreek, bestond de mogelijkheid om een literaire tekst in dialect te schrijven, maar die gedachte heb ik laten varen. Ik moest alle eigentijdse *slang* vermijden, wat me moeite kostte: omdat we er indertijd niet over beschikten moest ik afzien van het voortreffelijke vocabulaire van het modernste idioom. Maar al te graag had ik Franz Kien over de Rex laten praten als 'dat type' of 'die ouwe zeur', aan Kandlbinders lesmethode gerefereerd als 'troep' en de klas eensgezind de overtuiging laten delen dat Konrad Greiffs gedrag in de klas te wijten was aan een 'tic'. Maar die mooie en treffende uitdrukkingen kenden wij toen niet, dus moest ik mij beperken tot het woordenbestand van mijn jeugd, waarvan overigens een en ander over een zekere houdbaarheid bleek te beschikken. Zo heb ik dus geprobeerd mijn vertelling in te kleuren met de toon van het milieu waarin zij zich afspeelt, maar zo onnadrukkelijk mogelijk. Licht aanstippen is genoeg. De taal, daar ben ik van overtuigd, vernieuwt zich voortdurend vanuit de spreektaal. Levendige literatuur baant zich moeizaam een weg te midden van classicisme en volkscultuur. – Eisen die ik mij-zelf stel. Of het mij is gelukt eraan te voldoen? Ik weet het niet. Ik weet het werkelijk niet. Als mijn lezers maar weten waar het mij om te doen is.

*

Dr. Gertrud Marxer (Kilsberg) bedank ik voor haar vriendelijke hulp bij de reconstructie van het weer-gegeven onderwijs in het Grieks.

*

Begonnen in mei 1979, voltooid in januari 1980.

Berzona (Valle Onsernone)
A.A.

'Een boek als een geladen pistool'

Alfred Andersch (München, 1914 – Berzona bij Locarno, 1980) groeide op in een conservatieve familie. Hij was de tweede van de drie zoons van de dierenarts, boekhandelaar en vastgoedhandelaar Alfred Andersch (1875-1929) en diens echtgenote Hedwig, geb. Watzek (1884-1976). Het traditierijke Wittelsbacher Gymnasium in München moest hij na de zevende klas wegens slechte resultaten verlaten. Directeur van het gymnasium was destijds Joseph Gebhard Himmler, de vader van Heinrich Himmler die in die jaren aan zijn carrière binnen de Nationaalsocialistische Partij begon.

De herinnering aan zijn verwijdering van school en de daaraan verbonden vernederingen hebben Andersch levenslang bezig gehouden – hij schreef het letterlijk op zijn sterfbed van zich af. Het verhaal heeft in Duitsland repertoire gehouden, wordt nog veel op scholen gelezen en wordt algemeen beschouwd – zoals Bordewijks *Bint* bij ons – als een verhaal dat de impliciete dreiging weergeeft van wat Duitsland en de wereld in 1928, het jaar waarin het verhaal speelt, te wachten stond. 'Een boek als een geladen pistool', schreef een criticus toen *De vader van een moordenaar* in 1980 postuum verscheen.

Er waren lezers die de 'Rex' als scholieren anders beleefd hadden. Op 18 augustus 1980 verscheen in *Der Spiegel* onder de kop 'Rufmord am Rex?' een artikel waarin Andersch door een ex-klasgenoot werd beschuldigd van het verfraaien van de waarheid: hij zou niet na een aanvaring met de oude Himmler van school zijn geschopt, maar gewoon aan het eind van het schooljaar zijn gezakt met 'drie vijven, voor Grieks, Latijn en wiskunde en een drie voor Duits'. Maar ook waren er ex-scholieren die het Rex-beeld van Franz Kien en diens verhaal bevestigden en de auteur bijvielen. De literaire kritiek prees het boek, juist en vooral om het subtiele verschil tussen autobiografische elementen en literaire bewerking die het verhaal tot een 'typerend tijdsbeeld' maken.

Andersch moet de postume controverse rond feit en fictie hebben voorvoeld, getuige zijn eigen nawoord, waarin de lezer 'de bui al voelt hangen' – net als in het verhaal zelf het geval is. Maar juist die zoekende formuleringen, dat ironische, tastende nawoord maakt het geheel, het verhaal én het nawoord, tot een aangrijpend tekst; een getuigenis van iemand die poogt zich een houding te geven, die zich wil verstaan met de feiten en zich er misschien zelfs mee probeert te verzoenen.

Na zijn verwijdering van het gymnasium werkte Andersch als stagiair bij een boekhandel. In 1930 werd hij lid van de communistische partij KPD. Als achttienjarige werkloze was hij *Organisationsleiter* van de communistische jeugd in Zuid-Beieren, na de brand van de Reichstag werd hij na eigen zeggen gearresteerd en naar het concentratiekamp Dachau overgebracht, maar latere naspeuringen van de auteur Bernhard Setzwein in de archieven van Dachau leverden geen bevestiging op van dat verhaal. Uit vrees voor verdere vervolging gaf Andersch zijn politieke bezigheden op, werkte als boekhandelaar en begon in 1937 met het schrijven van verhalen. Een bekende in München adviseerde hem alleen de grootsten als voorbeeld te nemen, zoals de Duitse historicus Leopold von Ranke en schrijvers als Stendhal of Thomas Mann.

Andersch ontliep in de eerste jaren van de Tweede Wereldoorlog frontinzet door zijn huwelijk met een halfjoodse vrouw – maar hij scheidde van haar en nam in '43 opnieuw dienst. Lang zou zijn actieve inzet niet duren. Hij werd naar het Italiaanse front gestuurd, maar werd al na twee weken door Amerikaanse troepen krijgsgevangen gemaakt. Andersch zelf is altijd blijven volhouden dat hij was gedeserteerd en fictionaliseerde dat in zijn debuutroman *Kirschen der Freiheit*. Na de dood van Andersch dook nieuw materiaal op over zijn oorlogsjaren, want hij bleek na zijn gevangenneming door de Amerikanen als *Prisoner of War* naar Washington te zijn verscheept, waar hij werd geïnterneerd in het geheime afluisterkamp Fort Hunt.

Alfred Andersch is in Nederland nagenoeg onbekend gebleven, maar was in het Duitsland van na de Tweede Wereldoorlog een invloedrijke figuur in de literaire wereld, in het begin vooral dankzij het spraakmakende literaire tijdschrift *Der Ruf*, waarvan hij de uitgever was. Daaruit ontstond de literaire groep 'Gruppe 47', die hij oprichtte met de spiritus rector van de groep, Hans Werner Richter. De 'Gruppe 47' bracht hier wél bekende schrijvers als Heinrich Böll, Hans Magnus Enzensberger en Günter Grass voort. Van 1948 tot 1958 was Andersch vooral als literair redacteur bij de radio werkzaam, eerst voor het legendarische *Abendstudio des Hessischen Rundfunks*, later voor de *Süddeutschen Rundfunk*. Hij hielp veel nieuw talent en ontdekte vernieuwende auteurs als Arno Schmidt en Albert Vigoleis Thelen.

Als schrijver verwierf hij naam en faam met de romans *Die Kirschen der Freiheit* (1952), *Sansibar oder der letzte Grund* (1957), *Die Rote* (1960), *Efraim* (1967) en *Winterspelt* (1974). Maar zijn meest gelezen werk blijft *De vader van een moordenaar* – hoogste tijd, dat Alfred Andersch als schrijver met dit hier voor het eerst in Nederlandse vertaling gepubliceerde juweel ontdekt wordt.

Christoph Buchwald / Marcel Misset

Verklarende woordenlijst

p. 9: *Studienrat* – Leraar aan een middelbare school. Aanspreektitel: Herr Professor.

p. 11: *... na Pasen* – In Beieren begon het schooljaar tot 1941 na de Paasvakantie.

p. 19: *Schmeil* – Otto Schmeil (1860-1943). Beroemd zoöloog, bioloog en onderwijshervormer.

p. 35: *Oberstudiendirektor* – Rector. Himmlers bijnaam, 'de Rex' is een afleiding van 'rector', niet van het Griekse Rex.

p. 35: *Reichswehr* – Officiële benaming van het – na de Eerste Wereldoorlog gekortwiekte – Duitse leger tussen 1921 en 1935.

p. 37: *Freiherr* – Het Duitse equivalent van een baron.

p. 41: *stadspatriciaat* – Himmler zinspeelt op het onderscheid dat na de Middeleeuwen ontstond tussen de stedelijke en de plattelandsadel.

p. 47: *Reichskriegsflagge* – Officiële vlag van het Duitse leger sinds 1848, na de Eerste Wereldoorlog afgeschaft, werd eind jaren twintig symbool van de Duitsnationalistische tegenstanders van de Weimar Republiek.

p. 48: *Bayrische Volkspartei [...] zwart tot op het bot* – Heinrich Himmler was tot 1923 lid. Duits-nationalistische katholieke partij. 'Zwart' verwijst hier naar het katholicisme en niet naar het opkomend nazisme, dat door het merendeel van de leden werd afgewezen.

p. 50: *IJzeren Kruis I (Eerste Klasse)* – Het IJzeren Kruis II werd in de Eerste Wereldoorlog zo vaak toegekend dat het devalueerde, maar het IJzeren Kruis I was voorbehouden aan manschappen die moed hadden betoond of gewond waren geraakt.

p. 56: *Bilgeri-bindingen* – Hans Georg Bilgerli (1898-1949), een beroemde Duitse skipionier.

Eveneens verschenen bij Uitgeverij Cossee

Wolfgang Koeppen – *De dood in Rome*
Roman, vertaald door W. Wieliek-Berg.
Gebonden, 224 blz.

Daar is hij weer, *er ist wieder da*, de in Neurenberg bij verstek ter dood veroordeelde SS-generaal Gottfried Judejahn. Onverwacht herrezen en terug uit de woestijn, waar hij de Arabieren discipline heeft geleerd voor hun strijd tegen de jonge staat Israël. Incognito rijdt hij in een grote Mercedes Rome binnen. De dood gewaande generaal heeft zijn familie laten weten dat hij voor belangrijke zaken in de stad moet zijn – maar zijn vrouw is zenuwachtig, en heeft moeite afscheid te nemen van het idee de weduwe te zijn van een voor de Führer gesneuvelde held. Ook Judejahn ziet ineens op tegen de familiereünie.

In zijn schitterende roman over Judejahns hellevaart ontvouwt Koeppen een adembenemend familietafereel van agressie, schande, angst en (moord)lust. Daders en wegkijkers – iedereen ontkent of bagatelliseert zijn of haar aandeel aan de Duitse catastrofe. Het heeft dan ook meer dan een halve eeuw geduurd tot *De dood in Rome* erkend werd als dat wat het is: een literair meesterwerk.

Eveneens verschenen bij Uitgeverij Cossee

Volker Weidermann – *Zomer van de vriendschap.
Oostende, 1936*
Roman, vertaald door Els Snick.
Paperback met flappen, 160 blz.

'Beste vriend,' schrijft Joseph Roth aan Stefan Zweig. 'Als u wilt komen, kom dan snel, wat van mij overblijft zal zich nog verheugen.' De chronisch onbemiddelde hotelbewoner Roth, wiens financiële en lichamelijke situatie door zijn drankgebruik drastisch verslechtert, kan wel een vriend – en iemand die zijn drankrekeningen betaalt – gebruiken.

In nazi-Duitsland worden de boeken van beide wereldberoemde auteurs inmiddels verbrand. Het Oostenrijkse kasteel van Zweig is door de Gestapo overhoopgehaald, zijn huwelijk is definitief voorbij; hij kan de afzondering goed gebruiken. In Oostende, de 'koningin der badsteden', treffen de vrienden elkaar. Met andere exil-auteurs als Irmgard Keun, Hermann Kesten en Egon Erwin Kisch vormen ze een illuster gezelschap. In *Zomer van de vriendschap* toont Weidermann ons 'het afscheidsfeest van de Europese cultuur', zoals Thomas Mann de zomer van 1936 in Oostende omschreef. Iedereen doet zijn best om nog één keer het leven te vieren, voordat de wereld ten onder zal gaan.

Meer informatie over Alfred Andersch
en de boeken van Uitgeverij Cossee
vindt u op onze website www.cossee.com

Wilt u op de hoogte blijven van alle uitgaven
en activiteiten van Uitgeverij Cossee, meld u dan
aan voor de nieuwsbrief op www.cossee.com
en volg ons op Twitter en Facebook.

Oorspronkelijke titel *Der Vater eines Mörders. Eine
Schulgeschichte*
© 1980, 2004, 2014 Diogenes Verlag AG, Zürich
Nederlandse vertaling © 2016 Marcel Misset
en Uitgeverij Cossee BV, Amsterdam
'Een boek als een geladen pistool' © Christoph
Buchwald, Marcel Misset
en Uitgeverij Cossee BV, Amsterdam
Omslagbeeld Getty Images
Omslag Irwan Droog/Uitgeverij Cossee
Auteursfoto privécollectie

ISBN 978 90 5936 639 8 | NUR 302
E-ISBN 978 90 5936 641 1